어른이라 말할 수 있도록

어른으로 이끄는 마음과 생각, 그리고 행동

또또규리 출판사를 소개합니다.

또또규리 출판사의 슬로건
"세상에 필요한 책을 만듭니다."

인생과 세상의 변화를 위한 다양한 주제를 깊이 있게 다룹니다.

출판사명 '또또규리'는 두 딸의 애착인형 이름을 합한 것으로,
자녀가 보기에도 좋은 책을
정성스럽게 만들고자 하는 마음을 담았습니다.

또또규리 출판사의
유익한 메시지를 여러 채널로 만나 보세요.

유튜브 @ttottokyuri
인스타 @ttottokyuri
홈페이지 https://blog.naver.com/ttottokyuri

또또규리 출판사의
새로운 메시지와 소식을 받아 보기 원하시면

또또규리 출판사의 이메일 aiminlove@naver.com으로
독자의 이메일 주소만 알려 주시면 됩니다.
일주일에 한 번 이메일로 또또규리 출판사의
새로운 메시지나 소식을 보내 드립니다.

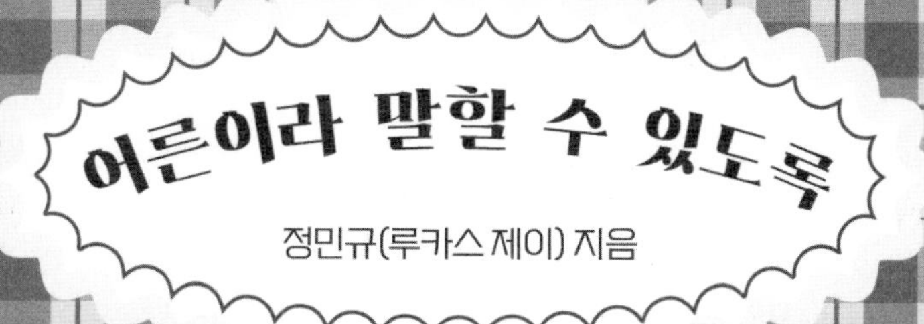

어른으로 이끄는 마음과 생각, 그리고 행동

어른이라는 건…, 어른이라는 건…

40대가 되었는데도(아, 좀 있으면 50대에 접어듭니다) 어른답지 못한 행동을 할 때가 많습니다. 그런데 어른답다는 건 뭘까요? 제 나름대로 정리해 보았습니다. 일곱 가지가 추려지네요.

1. 화내지 않고 의사 표현하기
2. 조급해하지 않고 묵묵해지기
3. 할 말, 안 할 말 가려 하기
4. 가능한 한 시간 아껴 살기
5. 자기 역할, 책임 완수하기
6. 앞장서 행동하고 모범이 되기
7. 웃음과 유머로 대화하기

정말이지 이런 어른이 되고 싶다는 생각이 듭니다.

어른다움에 대해 나름대로 정의해 보니 부끄럽게도 아직 어른의 'ㅇ'만큼도 되지 못한 나입니다. 어른다움은 그래서 나이와 전혀 상관없습니다. 전적으로 태도와 관련이 있지요.

어른이라는 건…, 어른이라는 건…. 자꾸자꾸 어른에 대한 정의를 자기 나름대로 내려 보고 그 정의를 구체화하고 확장하면서 그 정의대로 살고 있는가 살펴봐야겠습니다.

내 삶의 모든 것

하나님께 감사드리며.

사랑하는 혜자매님들(인혜, 혜민, 혜리)

항상 고마워요.

차례

프롤로그

어른이라 말할 수 있도록

인간에게 가장 어려운 단어는 무엇일까요?

'어른'이 아닐까 싶습니다. 어른답게, 어른으로서 살아간다는 것은 결코 쉬운 일이 아닙니다.

어른은 자신의 몸과 마음을 책임질 줄 알아야 하며, 자신이 좋아하고 잘하는 일을 찾아야 하고, 가족과 이웃에게 도움이 되는 삶을 살 수 있어야 합니다. 정말 쉽지 않은 것들입니다.

이것들의 총체가 '어른의 인생'이니 매일매일 그 무게를 감당해야 합니다. 인생이 아이러니한 것은 우리가 살아간다는 것에 부담을 가지기보다는 그저 겸손하고 감사하게 매 순간을 받아들일 때 삶도 일도 쉬워진다는 사실입니다.

순간이 곧 인생이니 순간을 기쁘게 사는 것, 즉 카르페 디엠(carpe diem: 현재를 잡아라, 지금 살고 있는 현재 이 순간에 충실하라)은 옳습니다. 우리는 바로 지금 이 순간 어른이 되고자 해

야 합니다

이 책은 아직 어른이라는 말을 붙이기 부끄러운 부족한 저자가 어른의 인생을 소망하며 하루하루를 살면서 느끼고 경험한 것들을 모은 것입니다. 우리가 어른이 되는 데 작은 도움이 되면 좋겠습니다. 그리하여 잘 성장 중인 우리가 서로를 어른이라 말하고 서로 배우고 나눌 수 있도록.

1장.

크게 살기, 깊게 살기

두뇌와 엄지

태어나면서부터 디지털 세대인 사람들로서는 이해하기 힘든 일이겠지만, 우리 모두는 '디지털 치매'라는 증상에 대해 곰곰이 생각해 볼 필요가 있습니다. 오늘날의 4차 산업혁명에서 더 나아가 미래에는 5차 산업혁명이 일어날 테고 온갖 디지털 기계는 갈수록 인간이 할 일을 더 많이 대신해 줄 테지만, 그로 인해 인간 고유의 기능이 도태되거나 발전 가능성이 제한되는 것은 아닌가 생각해 보아야 합니다.

간단히 말하면, 우리는 갈수록 두뇌보다는 '엄지'를 사용하게 됩니다. 정보를 활용하는 것이 아니라, 축적된 정보를 검색하고 단지 인지하는 정도로 되는 경우가 더욱더 많아지고, 점점 더 깊이 있는 사고를 하지 않는 '기계(미디어 포함) 중심 문화'가 되면서(사실 사회문화 자체가 그렇게 되어 가는 것 같습니다) 디지털 치매가 만연하게 됩니다. 텍스트보다 영상을 훨씬 더 선호하는 쪽으로 바뀌는 것만 보아도 인간 사고와 생활 자체가 그만큼 단순(당연한 얘기지만 좋은 의미의 단순함을 이야기하는 것이 아닙니다)해진다고 보아야 할 것입니다.

정말로 요즘 아이들은 스마트폰에 너무 많이 노출되어 있습니다. 게임과 동영상, 사진으로 보내는 시간이 엄청나게 많습니다. 과학적인 인식이란 무엇인가에 대해 생생한 사례를 통해 설득력 있게 호소하는 독일의 유명한 뇌과학자 만프레트 슈피처(Manfred Spitzer)는 〈디지털 치매 - 머리를 쓰지 않는 똑똑한 바보들〉이라는 책에서 디지털 매체에 노출된 영유아가 겪게 될 디지털 치매를 경고합니다. 이것은 다른 많은 학자들이 공통적으로 경고하는 바이기도 합니다.

학자들은 이미 전자 미디어, 디지털 미디어의 영상물이 만 3세 미만 아이의 두뇌가 빠르게 발달하는 과정에 부정적인 영향을 미친다고 결론을 내렸습니다. 언어 능력과 인지 기능을 약화시켜 학습능력 계발에 악영향을 끼친다는 것입니다.

뇌 생리학적으로 두뇌 발달은 유아기에 가장 활발하게 이루어지므로 신경세포인 뉴런과 신경세포를 연결하는 시냅스의 조직망 형성에 자극을 주어야 합니다. 두뇌의 신경세포는 마치 근육과도 같아서 많이 움직일수록 강화되고 그 수가 증가하기 때문입니다. 하지만 영상 미디어는 대부분 그 내용이 단조롭고 수동적인 간접경험만을 하도록 하기 때문에 아이 스스로 두뇌의 기억용량을 늘리고 정보처리 속도와 정확도를 높이게 하기는커녕 감소시키는 결과를 초래합니다.

성인이라고 예외가 될 수 없습니다. 이제 디지털 기기 없는 생활은 상상조차 하기 어렵습니다. 전화번호를 외우고, 지도를 찾고 길을 기억하고, 책을 보고, 글을 쓰고, 토의하는 것은 컴퓨터가 도입된 이래로 근 30여 년 사이에 점점 더 구시대적인 일처럼 되어 버렸으니 말이지요.

일부는 책을 보고 글을 쓰고 토의하는 것은 하고 있지 않나 하고 반론을 하겠지만, 그것들 역시 단편적으로 한다는 것이 문제입니다. 책을 쓰고 글을 쓰는 사람들도 그 같은 추세를 따라 단편적으로 되어 가는 것 같기도 합니다. 오늘날은 그야말로 '깊이 있는 것들이 사라져 가는 시대'인 것입니다.

두뇌는 전적으로 사용하기 나름인 듯합니다. 풀가동하는 사람이 있는가 하면, 아예 오프(off) 스위치로 되어 있는 사람도 있을 것입니다. 디지털은 자꾸 오프 스위치를 누르게 합니다. 사실 기계가 그렇습니다. TV도 마찬가지 아닌가요? 무턱대고 보다 보면 바보가 됩니다.

저는 아날로그 시대와 디지털 시대를 둘 다 경험한 행운아입니다. 20대 초반에 컴퓨터가 보급되는 걸 목격했으니 40대인 현재의 저는 인생의 반은 아날로그, 반은 '아날로그 + 디지털'

을 체험한 셈입니다. 물론 개인적으로 저는 아날로그에 훨씬 더 몸과 맘이 가깝습니다. 심한 기계치인 탓도 큽니다. 물론 갈수록 디지털 기기들은 기계치들도 쉽게 사용하도록 개발되지만 저는 단적인 예로 영상보다 책이 좋습니다.

저는 물론 디지털 배척자는 아닙니다. 시대 흐름에 맞게 장점은 장점대로 받아들이고 활용해야 한다는 쪽입니다. 그래서 웬만한 디지털 기기들은 구매해서 사용하는 편입니다.

저는 디지로그적 삶이 지혜로운 삶이라 여깁니다. 디지로그는 디지털(digital)과 아날로그(analog)의 합성어로 디지털 기반과 아날로그 정서가 융합하는 것을 말합니다. 곧 기술과 인간의 만남이지요.

우리는 언제나 인간적인 면을 놓쳐선 안 될 것입니다.

인간의 특성이 무엇인가요?

생각하는 것, 창조하는 것입니다. 갈수록 탐험가, 모험가 정신이 사라져 가는 것은 안타까운 일입니다. 한편에서는 기술 전문가들이 점점 더 편리하게 사용할 수 있는 기계를 만들고, 다른 한편에서는 별다른 고민 없이 그 기계를 소비하는 형국이 될 수 있습니다.

테크노크라시(technocracy)가 현실화하는 것입니다. 테코노크라시는 기술(technology)과 관료(bureaucracy)의 합성어로, 전문적 지식이나 과학기술 등에 의한 지배를 의미합니다. 창조적인 일을 한다고 하는 사람들이 기계를 만들면 오히려 그 기계문명으로 다른 사람들은 창조적으로 살지 않게 되는 역설적 현상이 우려됩니다.

사실 점점 더 고도화되는 기계문명이 과연 창조성의 산물인가 고민해 볼 필요도 있을 것입니다. 편리성과 창조성은 반드시 일치하는 것은 아니기 때문이지요. 새로운 것이라고 해서 늘 그건 창조성이 담긴 것이라고 할 수 없습니다. 그러니까 인간이 창조성을 발휘할 수 있도록 만들어져야 창조적인 산물이 아닌가 하는 것이지요. 편리성 뒤에 감추어진 단점이 많다면 재고해 볼 일입니다. 이것은 자꾸만 경쟁적으로 새로운 것을 만들어야 하는 자본주의 생리의 그늘이기도 합니다.

그러나 디지털 세대는 디지털 기기가 너무 친숙하고 워낙 자연스럽게 그것들을 사용해 왔기 때문에 디지털 기기와 인간 두뇌, 그리고 인생 간의 관계에 대해 잘 생각해 보지 않게 됩니다. 디지로그적 삶을 추구하는 출판인으로서 종이책의 소중함과 중요함을 널리 알리고 싶기도 하고, 디지털 시대에 맞추어 가기 위해 전자책과 오디오북 같은 부차적인 형태의 책들이 나오는 것을 보면 한편으로는 씁쓸하기도 합니다. 과연 저것들이 종이책만 한 영향력을 가질 수 있을까? 생각의 여지를 줄이는 건 아닐까? 그나마 저렇게라도 책을 본다면 잘됐구나 해야 하는 걸까?

그래서 디지털 시대에는 복고(復古)가 멈추지 말아야 할 것입니다. 아날로그적 장점과 감성을 되살리려는 노력을 멈추지 말아야 합니다.

결국 어른이 만들어 놓은 것 아닌가요? 젊고 어린 그들에게 인간 정신을 계발할 수 있는 아날로그적 사고와 감성을 전수해 줄 책무를 우리는 지고 있습니다.

디지털 세대 역시 복고적 장점을 누릴 줄 알아야 합니다. 단적으로 도서관과 컴퓨터는 우리에게 전혀 다른 영향을 미칩니다. 읽고, 듣고, 쓰면서 성장하는 기본적인 인간의 발전 과정을 대체할 것은 없으리라는 생각입니다. 단, 읽기, 듣기, 쓰기는 깊이 있게 이루어져야 할 것입니다. 그 깊이를 발견하고 실행해 나가는 게 인생 아닐까요.

펜에 마음을 실어서

모든 성경 말씀이 귀하지만 그중에서도 읽는 그때에 특별히 더 와 닿는 성경 말씀에 체크 표시를 해 놓습니다. 나중에 그렇게 체크된 말씀을 다시 보면 '내가 이 말씀에 감동했었구나' 하면서 '그래, 역시 감동할 말씀이네' 합니다. 그러면 말씀이 제게 더 또렷해지는 느낌입니다.

고등학생 때는 영한사전에 내가 본 단어와 표현에 체크를 해 놓았습니다. 나중에 그렇게 체크된 단어와 표현을 다시 보면서 '이거 본 거였어'라며 기억이 납니다. 단어와 표현 자체가 기억날 때도 있지만, 그냥 보았다는 느낌만 느껴질 때도 있습니다. 그런데 기억이 나지 않고 느낌만 느껴져도 학습효과가 있다는 걸 자주 느꼈습니다. '친숙함의 힘'이지요.

그렇습니다. 기록은 친숙함을 갖게 합니다. 그렇게 내 머릿속, 내 마음속에 각인됩니다. 디지털 시대로 접어들면서 기록하는 일은 점점 더 줄어듭니다. 물론 우리가 사용하는 각종 디지털 기기에는 메모 기능이 있지요. 하지만 종이 위에 표시하는 것과는 차원이 다릅니다.

실물의 힘이란 대단하지요. 인쇄된 활자를 직접 보고, 직접 종이 위에 체크하는 일이 별것 아닌 것 같아도 대단한 힘을 발휘합니다. 앞에서 말한 친숙함의 힘을 아날로그는 백분 발휘하니까요. 내가 체크나 메모를 하면서 쏟은 딱 그 마음만큼 발휘합니다.

그래서 앱 같은 게 있지만, 성경과 사전은 직접 체크하며 보기를 원합니다. 책도 마찬가지입니다. 눈도 덜 피곤합니다. 디지털 기기는 단편으로 기억과 느낌을 쪼개는 측면이 있습니다. 디지털 기기를 통해 장편으로 기억하고 느끼려면 훨씬 더 의식적으로 집중해서 사용해야 하지요. 차라리 그렇게 하기보다는 아날로그가 좋은 건 아날로그에 기록하는 게 어떨까요. 내 손으로 직접 기록한 것은 머릿속, 마음속으로 쉽게 연결된다는 걸 믿는다면요. 이건 과학적으로도 증명된 바입니다.

사진을 디지털 파일로 보는 것과 인화해서 보는 것의 차이도 이와 비슷하지 않을까요. 선명하게 내 머릿속과 내 마음속에 무언가를 남기고 싶다면 이제 종이 위에 내 마음을 실은 펜으로 기록을 해 보세요.

꿈을 말하고 꿈을 쓰라

요즘 6세(글 쓸 당시)인 둘째 딸이 "나는 꿈이 많아."라는 이야기를 종종 합니다. 저는 딸에게 "그건 관심이 많은 거라서 좋은 거야."라고 말해 줍니다. 지금은 많이 관심 갖고 꿈을 많이 가지면 좋다고 이야기해 줍니다.

둘째 딸의 꿈은 다채롭습니다. 태권도, 셰프, 의사, 헤어 드레서가 꿈이라니, 분야가 참 다양합니다. 딸은 제게도 꿈이 뭐냐고 묻습니다. 그럼 저는 "글 쓰는 사람."이라고 말해 줍니다. 딸은 제게 꿈을 더 가지면 어떠냐며 "책 읽어 주는 사람"을 추천해 줍니다. "괜찮다. 맘에 든다."고 말해 주었습니다. 안 그래도 '낭독을 하는 걸 업으로 삼으면 좋겠다' 어렴풋하게나마 생각하고 있던 차여서 더욱더 반가운 꿈 제목이었습니다.

어려서는 다양한 분야에 관심을 갖고 여러 가지를 꿈꾸어 보는 게 좋습니다. 세상은 넓고 할 일은 많으니까요. 다양한 분야에 관심을 가져 보아야 인생의 폭도 넓어지고, 그중에서 나이가 들면서 직업으로 가질 꿈을 정하게 되면 그때부터 인생의 깊이가 본격적으로 깊어지지 않을까요. 인생은 넓이와 깊이가 둘 다 필요한 것 같습니다. 시야가 넓은 사람이 시선이 깊다고 할까요.

무슨 일을 업으로 삼아야 행복한가?

이 질문에는 무슨 논란의 여지가 있을 수 있나 싶습니다. 전형적으로 나오는 그 답이 답입니다.

그렇습니다. 하고 싶은 일과 좋아하는 일이 일치할 때 사람은 가장 행복합니다. 가슴 아프게도 한국의 교육은 하고 싶은 일이니 좋아하는 일이니 이런 걸 생각할 여지를 도통 잘 주지를 않으니 성인이 되어서 직업 만족도가 현저히 떨어질 수밖에 없습니다.

물론 직업 만족도가 낮은 데는 회사 문화가 아직도 수준 이하인 것도 큰 원인으로 작용하겠지요.

저는 아무리 한국 교육이 그 '모양'이라도 꼭 꿈을 가지라고 말해 주고 싶습니다. 그리고 꼭 꿈을 자신의 목소리로 말하라고 얘기해 주고 싶습니다. 또한 꿈을 꼭 글로 쓰라고 말해 주고 싶습니다. 꿈은 그렇게 말로, 글로 표현될 때 생동감을 가지니까요. 꿈 자체가 살아 움직이는 힘이 생기는 것이지요. 꿈을 말하고, 꿈을 쓸수록 꿈에 대한 열망이 커지고 더욱더 열성적으로 꿈을 향해 다가가게 됩니다.

저는 이렇게 꿈꾸는 일을 너무나 늦게 시도했고, 그 결과 긴 긴 시간을 허비하고 말았습니다. 어리고 젊은 사람들이 이런 시행착오를 줄이면 좋겠습니다. 이것은 너도나도 자신에게 기쁨과 유익이 되면서 세상에도 기쁨과 유익이 되는 시간을 훨씬 앞당기는 일이니 개인적, 사회적으로 이보다 반가운 일이 어디 있을까요.

꿈에 대해 많이 생각했으면 좋겠습니다. 다행히 저는 뒤늦은 나이에 하고 싶고 또 좋아하는 작가의 길에 입문하기는 했지만 아직도 갈 길이 멉니다. 젊어서 지력도 체력도 좋을 때 더 공부하고 더 준비했다면 좋았을 걸 하는 생각이 자주 듭니다.

그럼에도 자신 있게 말할 있는 건 꿈이 이끄는 삶이란 그 자체로 행복이자 축복이라는 사실입니다. 나이가 들었다고 뒤돌아볼 이유가 뭐가 있나요? 인생은 지금이니 지금 꿈을 꾸고 꿈을 따라가면 되는 것이지요.

나의 일을 사랑하기

저는 무가치하게 시간을 허비하고 싶지 않습니다. 좋은 일을 잘 하고 싶습니다. 사람은 일을 통해 가치를 창출하니까요. 지혜와 성실이 요구되는 대목입니다.

> 가치 있는 일을 하는 유일한 방법은 스스로 하는 일을 사랑하는 것이다.
>
> – 스티브 잡스

왜 일을 하는 데 창의적이지 못한가?

왜 일을 하는 데 열정적이지 못할까?

맞습니다. '스스로 하는 일을 사랑하지 않아서'입니다.

돈을 위해서, 명예를 위해서, 권력을 위해서 일을 하는 것은 무가치합니다. 우선순위를 말하는 것입니다.

내가 하는 일의 의미와 가치와 목적을 알 때, 그리고 내가 왜

이 일을 해야 하는지 자신의 사명을 알 때 우리는 비로소 일다운 일을 할 수 있습니다.

자기 자신이 하는 일을 사랑하기만 한다면 우리는 힘차게, 줄기차게 일할 수 있을 것입니다.

나의 일을 일 그 자체로 사랑해 줍시다.

무턱대고 일하지 말고 일의 의미와 가치와 목적을 알고 일합시다.

만약 사랑할 만한 일을 아직 하고 있지 않다면 계속해서 꾸준히 찾아봅시다.

하고 싶어서 / 해야 하니까

성공을 거둔 사람들의 공통된 특징이 있지요. 바로 성공적인 루틴이 있다는 것입니다.

그러나 그들처럼 성공자가 되기 위해 루틴을 가져 보면 어떻던가요?

그것이 '하고 싶어서 하는 것인가', 아니면 '해야 하니까 하는 것인가'에 따라 루틴의 차원이 질적, 양적으로 크게 달라지는 것을 경험하게 됩니다.

물론 루틴을 꾸준히, 끈질기게 행하려면 인내와 성실이 필요합니다. 그러나 그 전에 그 루틴을 하게끔 이끄는 열망(熱望)이 내 안에 있어야 하지요. 인내와 성실은 그 열망을 꺼지지 않게 하는 나의 노력입니다.

루틴이 운동이든, 공부든, 일기든 마찬가지입니다. 하고 싶은 마음이 강렬해야 합니다. '해야 하니까 하는 거지' 하면 지칩니다. 지겨워집니다. 그만큼 효과가 떨어집니다. 횟수도 줄어

들지요. 작심삼일 현상이 나타나는 것입니다.

마치 냄비 근성처럼 확 열을 올렸다가 식어 버리는 것입니다. 그래서 우리는 내 마음속에 열망을 꺼뜨리지 말아야 합니다. 열망이 꺼지지 않도록 해 줄 수 있는 건 '하고 싶은 마음'뿐입니다.

하고 싶다는 마음이 내 안에서 불꽃을 피워야 합니다. 그 마음으로 행하는 루틴이어야 흥미롭고 유익합니다.

루틴은 나의 마음과 일체가 되어야 한다는 이러한 배움을 저는 루틴을 하나둘 만들어 보면서 얻게 됩니다.

'해야 하니까' 하면 행위 자체에 신경 쓰게 됩니다. 했다는 사실에서 위안을 찾으려고 합니다. 그러나 루틴은 실제로 효과가 있어야 합니다. 나 자신을 변화시키고 가족과 이웃에게도 유익이 되어야 합니다.

운동도, 공부도, 일기도 다 그 경지에 올라야 비로소 '나의 루틴'이라고 말할 수 있을 것입니다. 형식적인 것에는 늘 한계가 있습니다. 그리고 형식적으로 하면 본질(本質: 사물의 현상의 뒤에 있는 실재)을 놓칠 수 있습니다.

의미 없는, 효력 없는 루틴을 행했으면서 자신과의 약속을 잘 지켜 나가고 있는 것처럼 나 자신을 속이게 되는 경우도 자주 발생합니다.

그렇기 때문에 초심(初心)으로 돌아가야 합니다. 그 루틴을 만들고 싶었던 '처음의 마음'을 잊지 말아야 합니다. 잃지 말아야 합니다. 만약 곰곰이 생각해 보니 초심이 제대로 없었다면 초심부터 새롭게 가져야 합니다.

그것은 행동을 이끄는 목표의식이지요. 사람은 행위를 함으로써 무언가를 한다고 생각하기 쉽지만, 실은 목표가 행동을 이끕니다. 목표 없는 행동은 무의미해질 수 있으니까요. 목표는 원대할수록 좋겠지요.

목표의 크기만큼 나의 맘과 몸이 움직일 테니까요. 물론 목표를 크게 갖는 것만큼 중요한 것이 자잘한 목표들을 매일 달성하는 것입니다.

특히 하루의 목표는 세 가지로 잡는 게 좋다고 하네요. 그래야 자신이 그날에 하고자 하는 일을 기억하기도 쉽고 집중해서 그 행동을 하기도 수월하니까요.

가족 생일 한 달 전부터

얼마 전에 둘째 딸 생일이었는데요. 둘째 딸의 생일을 전후해서, 물론 생일 당일까지 포함하여 저희 가족은 즐거운 마음으로 시간을 보냈습니다.

생일 전에는 생일을 기다리는 아이를 보며 설레고, 생일 때는 축하해 주면서 기쁘고, 생일이 지나고는 생일 때의 그 기분이 며칠간 유지되어 좋았습니다.

아내는 "가족들 생일이 되면 이렇게 기분이 좋다"고 제게 말했는데 저 역시 마찬가지입니다.

저희 가족이 이렇게 기분이 좋은 건 생일을 이유로 생일을 맞은 사람을 더 생각해 주고 더 사랑해 주어서일 것입니다.

그래서 이번 둘째 딸 생일을 계기로 가족 간에 더욱더 사랑을 하게 되는 계기가 될 만한 좋은 아이디어가 떠올랐습니다.

생일을 맞게 된 가족에게 그 생일 딱 한 달 전부터 관심과 애정을 더 가져 주자는 것입니다.

저희 가족에게 저의 이런 아이디어를 말해 주었습니다. 이제 가족 중에 다음번 생일자는 첫째 딸이니 첫째 딸의 생일 한 달 전부터 나머지 가족들은 관심과 애정을 더 쏟아야겠지요.

이건 각자가 사랑받기 위해 태어난 존재임을 확실하게 확인시켜 주는 일이라는 생각입니다. 생일 한 달 전부터 평소보다 더 관심을 가져 주면서 서로가 서로를 더 잘 아는 계기도 될 것입니다. 무엇을 원하는지, 무엇을 좋아하는지 더 잘 알게 되는 것이죠.

대단한 건 아니더라도 생일을 맞은 가족을 한 달 동안 조금만 더 생각해 주는 것이지요. 가족들의 관심이 조금 더 느는 것일지라도 두세 명이 한 달 동안 조금씩 관심을 더 가져 주면 그건 분명 당사자에게 매우 큰 힘이 될 것입니다. 생일자의 자존감이 한층 더 올라가는 시간으로 한 달은 충분하지요.

물론 우리 모두는 생일을 이유로만 사랑받는 존재가 당연히 아닙니다. 아이들이 읽는 동화책에 보니 "생일이 아닌 날을 축하해"라는 명대사가 나오더군요. 그 말은 '365일 언제나 넌 소중한 존재이므로 널 항상 축복한다'는 의미일 것입니다.

다만 생일 한 달 전부터 관심과 애정을 더 가져 주다 보면 한 해 한 해가 지날수록 서로 간에 더욱더 서로를 잘 알게 되고 사랑을 더욱더 지혜롭게 주고받을 수 있게 될 것입니다.

생일자를 제외한 나머지 가족들은 생일자 한 사람을 기쁘게 해 주기 위해 함께 머리를 맞대기도 하겠지요. 그러면서 가족들 사이가 더욱더 돈독해질 것입니다.

벌써 다음번 가족 생일이 기다려집니다. 저희 가족 네 명은 생일이 각각 1월, 5월, 6월, 11월에 있으니 1년에 4개월, 곧 한 해의 3분의 1을 서로를 더 배려해 주는 축복의 시간으로 사용할 수 있겠네요.

2장.

중용과 성실, 재미와 의미

왜 분노하는가

분노의 출처를 살펴보면 참으로 마음이 아픕니다. 분노는 대물림되고 전염되는데, 그 분노의 쓴 뿌리를 보면 거기에는 반드시 억압이 있기 때문입니다. 해소되지 못한 채 억눌린 감정이 쌓여 있다가 터져 나오는 것이 분노인 것입니다.

분노를 유발하는 억압은 남이 내게 저지른 죄, 그리고 내가 나 스스로 저지른 죄에 기인합니다. 남이 준 상처, 내가 낸 상처가 해소되지 못해서 생긴 것입니다. 남의 죄는 용서를 통해, 나의 죄는 회개를 통해 그 짐을 내려놓을 수 있게 되는데, 여전히 안으로든 밖으로든 분노하고 있다면 그 같은 타인 용서, 자기 회개가 온전히 이루어지지 못한 것입니다. 물론 이것은 엄청나게 어려운 일일 수 있습니다.

그렇게 용서와 회개를 모르고 또 회피하고 지내 온 시간 동안 쌓인 만큼의 크기로 분노는 표출될 수 있습니다. 이렇게 표출된 분노는 가족, 학교, 회사 같은 공동체에서 전이되고 대물림되고, 또 서로 간에 전염되기 때문에 그 피해가 길고 깊습니다.

소리 지르는 부모 밑에서 소리 지르는 아이가 나오는 것입니다. 폭압적인 상사의 언행이 그 부하 직원에게서 나오고, 또 그 직원의 부하 직원에게로 퍼져 가는 것입니다. 이런 식으로 사회는 분노를 억누르고 있는 자와 분노를 표출하는 자로 채워져 나갑니다. 좀만 건드려도 터질지 모르는 폭탄들이 곳곳에 불안하게 꿈틀거리고 있는 것입니다.

아마도 많은 사람들이 평소 분노를 억누르고 있는 억압의 단계에 머무르고 있을 것입니다. 예민하지만 예민하게 보이지 않으려는 사람들 말입니다. 그처럼 답답한 마음에 자신을 가두는 것입니다.

분노에 대해 생각할 때 가장 안타까운 것은 너무나 극심한 상처를 타인에게서 받은 사람들의 경우입니다. 그들은 자기 자신을 내려놓고 자신에게 상처를 준 사람을 용서하리라는 마음으로 뜨거운 눈물을 흘리기까지 자유하지 못하기 때문입니다.

스스로 죄를 많이 지으면서 분노하는 이들은 그 교만과 이기심에서 내려오면 자신의 죄를 인정하는 것 같아서, 그리고 겸손해진다는 것이 너무나 낯설어서 그 분노의 마음을 내려놓는 것이 너무도 힘듭니다. 있는 그대로의 나를 보지 못하고 내가 나를 피해야 하는 억압입니다.

억압과 분노는 불평과 미움의 마음을 품게 합니다. 결국 자기 인생에 만족하기가 어렵습니다. 감사하기도 어렵습니다. 괴롭고 괴롭습니다. 이 덫에서 벗어나는 길은 타인 용서와 자기 회개뿐임을 억압과 분노에 사로잡힐 때마다 절감합니다. 화내지 않고 문제를 해결하는 능력이 우리에게 허락되어 있음을 우리는 너무 자주 간과하고 있는 것 같습니다.

요컨대 우리는 평생 용서와 회개를 하며 평안을 누리고 나누어야 하는 존재입니다.

> 분을 내어도 죄를 짓지 말며 해가 지도록 분을 품지 말고
>
> – 성경 에베소서 4장 26절

지겨움과 즐거움은 한 끗 차이

사람이 특정한 행위를 반복하게 하는 것은 무엇일까요? 바로 '즐거움'입니다.

그런데 사람들은 대부분 일이든 놀이든 오래 못 하지요. 귀찮음과 지겨움이 찾아오기 때문입니다.

건강을 생각해서 집에 러닝머신을 사 놓았는데 며칠 하면 지겨워져서 다시 잘 오르지 않게 되었습니다. 사 놓은 지는 수년이 되었는데 실제로 사용한 날을 손꼽아 세어 보면 한 달이나 될까 싶네요.

오늘은 신나는 음악을 들으며 러닝머신 위를 걸어 보았습니다. 길게 하지 않더라도 경쾌하게 걸었더니 활력이 좀 생기는 것 같습니다.

우리는 이렇게 재미 요소를 찾아야 합니다. 여러 가지 일을 연결할 수도 있고, 휴식을 첨가할 수도 있으며, 마주하는 사람이나 상황, 환경을 바꿀 수도 있겠지요. 이런 연결을 잘하는 사람이 재미를 일으킬 수 있을 것입니다.

교회 목장모임에서 부부끼리 속담을 몸으로 표현해서 맞추는 게임을 한 분이 준비해 오셔서 함께한 적이 있는데, 몇 번 웃기는 상황이 연출되어 배꼽을 잡고 웃었습니다. 모임에 새로운 것을 연결하려는 한 분의 시도로 모두가 즐거운 분위기를 만끽할 수 있다는 것은 참으로 감사한 일이었습니다.

이처럼 관계도 새로운 연결을 통해서 유지, 관리, 발전이 되는 것 같습니다. 사람 사이에 즐거움이 빠지면 무슨 재미일까요.

물론 의미와 재미 중에는 의미가 우선이지만 의미를 이해하고 추구하는 가운데 재미 요소를 연결시킬 수 있다면 우리는 지속적으로 의미 있는 인생을 살 수 있지 않을까요.

긍정의 과잉

그럴 필요까지 있을까 싶을 정도로 애써 현재 상황에서 긍정적인 게 무엇이 있나 집착하듯 찾아볼 때가 있습니다.

그런데 긍정적인 것을 찾는 일도 과잉이 되면 현 상황에서 곧바로, 제대로 실행을 하지 못하게 하거나 현 상황을 있는 그대로 보지 못하게 합니다.

최대한 객관적(客觀的)으로 상황을 바라보고 반성할 것은 반성하고 더 이상 그 일에 마음을 남기지 않고 현재 내 할 일에 집중하는 것이 좋습니다.

'긍정의 과잉'이라고 판단할 만한 기준점으로는 무엇이 있을까요? 바로 그렇게 하는 게 시간 낭비처럼 느껴질 때죠. 이것은 또 다른 현실 도피일 수 있습니다. 그러므로 긍정적인 걸 찾느라 시간 낭비할 필요는 없습니다.

나에게는 '긍정적인 실행'이 더욱더 필요하니까요.

지나침은 부족함과 마찬가지다

40대가 되면서 살이 부쩍 쪘습니다. 20, 30대에는 60킬로그램 정도를 늘 유지했는데 이 글을 쓰는 지금은 76킬로 정도이니 관리를 엄청 못한 겁니다. 홀쭉했던 배가 어느덧 많이도 나왔으니 몸만 따지면 완전 다른 내가 된 느낌입니다. 80킬로까지 갔던 걸 그나마 조금 빼서 이렇습니다.

사실 많이 말랐었기 때문에 몸이 잘 버텨 주지를 못하는 것 같아서 살을 찌우려고 의도적으로 많이 먹긴 했습니다. 하지만 적당히 살을 찌운 후에는 관리에 들어갔어야 하는데 많이 먹고 많이 앉아 있으니 살이 과하게 찌고 만 것입니다. 과한 건 과한 걸 부르게 되어 있는 법. 어쩌면 당연한 결과죠.

아무튼 지난 일은 지난 일이고, 체형 및 건강 관리를 위해 최근 걷는 운동을 해 오다가 체중감량 목표를 정하지 않아서 동기부여가 덜 되는 것 같아 이번 달부터 아예 체중감량 계획을 구체적으로 세웠습니다.

체중감량 계획의 근본 원칙은 과유불급(過猶不及). 그동안 체중을 급격히 줄이는 것의 폐해를 뉴스를 통해 익히 보아 왔기 때문입니다. 또한 살면서 터득한 것이 '과유불급은 인생의 금언'이라는 깨달음이므로, 이러한 깨달음을 체중감량에도 그대로 적용하기로 했습니다. 매달 딱 1킬로씩만 빼기로 했습니다. 그렇다면 현재 76킬로이니 앞으로 3개월이 지나면 나의 체중은 73킬로일 것입니다. 그때 전체적으로 체형이 괜찮은지 확인하고 다시 체중을 줄일지 그대로 유지할지 정하기로 했습니다. 아마도 제 키가 178센티이니 70킬로까지는 줄여야 하지 싶습니다. 동년배 친구들에게 물어본 결과 그 정도면 적당한 것 같습니다.

이렇게 하면 나는 건강하고 여유 있게 살을 뺄 수 있을 것입니다. 음식 양을 줄여 그 전보다 매일 조금 덜 먹고, 운동을 매일 조금씩 하면서 말입니다.

과유불급(過猶不及). 이 말은 해도 또 해도 지겹지 않을 만큼 중대한 말입니다. 지나침은 부족함과 마찬가지입니다. 유익하기는커녕 해롭기 때문입니다. 대부분의 일이 그렇지 않나요. 몸에 좋은 음식도 많이 먹으면 탈이 나고, 몸에 좋다는 보약도 많이 먹으면 탈이 납니다. 영어를 좋아한다고 아이에게 영어를 배우는 환경만 제공하면 아이에게 세상 공부는 잘되지가 않습니다. 여행도 과하면 현실 도피이자 여행 중독이고, 일도 과하면 과로고 일중독입니다.

물론 세상에는 아예 손에 대지 말아야 할 것들이 존재합니다. 도박이나 담배 같은 것들입니다. 그러나 중용(中庸: 어느 쪽으로나 치우침이 없이 올바르며 변함이 없는 상태나 정도)을 선택할 거리들도 엄청나게 많습니다. 우리가 하는 일 대부분에 있어서 사실 중용이 요구됩니다. 과하면 내 몸과 내 맘이 상하게 되어 있으니 말입니다.

저는 가뜩이나 도 아니면 모인 성격이기 때문에 중도의 삶을 도전할 필요성이 강하게 있습니다. 차분함과 꾸준함이 제게는 정말로, 정말로 필요합니다.

물론 과하다고 말할 범주에 속하지 않는 것들이 있습니다. 인생관, 가치관, 꿈, 믿음, 신뢰. 이런 것들은 과함과 모자람으로 따질 수 없습니다. 확실함과 모호함이 있을 뿐이지요.

결국 인생에는 확신을 가져야 할 것, 중용을 지켜야 할 것, 아예 하지 말아야 할 것이 있는 것 같습니다. 각각의 범주에 속하는 게 뭔지 그걸 알고 그대로 행하며 살아야겠습니다.

세상 중요한 질문. 사랑은 어떨까요? 사랑은 특별합니다. 사랑은, 사랑의 힘에 대한 확신이 있어야 합니다. 그러면서도 있는 그대로의 서로를 인정해 주면서 서로 성숙해지고 발전할 수 있도록 도우려면 과유불급의 지혜 또한 필요합니다. 사랑은 이러한 특성 때문에 평생 도전과 훈련, 공부와 조절의 '과목'이지 않나 싶습니다.

개미냐 베짱이냐

동화에 나오는 캐릭터가 그때그때 상황에 따라 평가가 달라지는 일이 거의 없는데 동화 〈개미와 베짱이〉는 아주 예외입니다. 마치 시대에 따라 특정 캐릭터가 부각되는 양 회자되는 대표적인 캐릭터가 바로 개미와 베짱이이기 때문이지요.

정말 산업 중심 시대에는 개미같이 부지런한 사람이, 문화 중심 시대에는 베짱이처럼 끼 있는 사람이 필요하고 또 잘되는 걸까요? 그럼 어느 시대는 개미처럼 살고, 어느 시대는 베짱이처럼 살아야 하는 걸까요?

인생의 절반을 살아오는 동안(이 글을 쓰는 지금 저는 40대 중반이니 인생 전반전을 마치고 후반전으로 들어간 것으로 봐야 할 것입니다) 저는 생활 방식에 대해 이렇게 이분법적인 구분처럼 멍청한 것도 없다고 생각하게 되었습니다.

저는 개미보다는 베짱이 과에 가까운데(급할 때만 개미처럼 움직입니다) 결국 개미의 성실함이 현명한 사람이 지니고 사는 지헤임을 뼈저리게 느끼게 되었습니다. 간혹 베짱이처럼 연주나 노래 또는 기타 예체능에 소질이 있거나 끼를 타고난 사람들이 있는데 과연 성실함 없이 그 소질이나 끼가 제대로 발휘되겠는가 말입니다.

〈피에타〉, 〈다비드〉 같은 뛰어난 조각 작품과 경이로움을 불러일으키는 로마 시스티나 성당의 천장화 〈천지창조〉와 벽화 〈최후의 심판〉을 보며 우리는 미켈란젤로를 천재라고 부르곤 합니다. 하지만 미켈란젤로는 다음과 같이 말했다고 하지요.

> "사람들은 저를 천재라고 부릅니다. 하지만 평소 제가 얼마나 연습하고 훈련하는지 곁에서 지켜본다면 저를 천재라고 부르지 못할 것입니다."

또 입담꾼 유재석의 오랜 무명 시절 카메라 울렁증 같은 흑역사가 말해 주지 않나요. 또한 발레리나 강수진의 상처투성이 발이 여실히 보여 주지 않나요.

아무리, 아무리 보아도 성실을 이기는 것은 없습니다. 성실 없이는 재능도 없습니다. 재능이 쪼그라지고 사그라지는 것은 한순간입니다. 성실 앞에서 재능은 별것 아닙니다. 오히려 성실이 재능을 만든다고 보아야 합니다. 선천적인 재능과 후천적인 재능은 1 대 99의 차이란 소리입니다.

발레리나 강수진은 “내일을 기다리지 않는다”고 말합니다. 그저 하루에 한 동작씩, 오늘 하루를 충실하게 보내겠다는, 스스로에 대한 ‘오늘의 약속’만이 있을 따름입니다. 그렇게 세계적인 발레리나가 된 강수진의 인생 신념은 ‘토끼처럼 살지 않고 거북이처럼 살아서 결승점에 먼저 도착하는 것’입니다. 그것을 위해 그녀가 삶에서 가장 중요하게 생각하는 것은 ‘매일매일 꾸준히 하는 것’입니다. 인생은 게으름을 떨기에는 너무나 짧다는 것. 그리고 게으름은 우리에게 아무것도 선사해 주지 않을뿐더러 나 자신과 내 인생을 망칠 뿐이라는 것.

게으름의 덫에 빠지면 거기서 헤어 나오기가 힘듭니다. 그래서 인생은 노력과 휴식의 반복이어야지, 부지런함과 게으름의 교차여서는 안 됩니다.

오히려 개미처럼 살 건가, 베짱이처럼 살 건가를 논할 바에는 개미든 베짱이든 둘에게 공통으로 요구되는 근원적인 것이 무엇인가를 생각해 보아야 할 것입니다. 나는 거침없이 그것을 ‘꿈’이라 말합니다. 꿈이야말로 삶을 끌어가는 근본적인 힘이므로.

내가 어느 때는 개미로 살고 어느 때는 베짱이로 살았든 상관없이 인생을 통틀어 삶의 열매를 제대로 맺지 못했던 것은 다름 아니라 꿈이 없었기 때문입니다. 꿈이 있어야 땀을 흘리고, 꿈이 있어야 끼를 키웁니다. 물론 그 꿈은 내게도 세상에도 유익이 되는 것이어야 그 꿈을 위한 땀과 끼가 가치가 있는 것이고요.

어르신들이 백이면 백 말씀하시는 게 있습니다. 인생 무지 짧다고. 아, 이제 전반전 마치고 후반전을 위해 경기장에 들어갔는데 분명 후반전은 전반전보다 훨씬 더 짧을 것입니다. 전반전도 무지 짧았는데 말이죠. 청년들은 이 느낌을 마음속에 새기고 있어야 합니다.

사실 인생 후반전은 전반전에서 준비가 되어 있어야 합니다. 준비한 자와 준비하지 않은 자의 차이는 그야말로 현격합니다. 저는 그 준비를 제대로 못했습니다. 씨 뿌리고 물 주고 추수하는 때가 있듯이 인생도 마찬가지인데 말이죠.

인생에서 모내기를 하는 때는 10대와 20대입니다. 10세 전에는 가정의 사랑과 보살핌을 받으면서 정서적인 면에서 많이 자라는 때이고, 10대와 20대는 세상에서 잘 살아가기 위해 지식과 지혜의 씨를 자기 자신에게 뿌리는 때입니다. 대화를 하고 관계를 맺어 나가는 것도 배워 나가면서 본격적으로 세상에서 자신의 할 일을 할 준비를 하는 때입니다.

10대와 20대를 잘 보낸 사람은 인생 전반전도 충실하게 보낼 수 있습니다. 꿈(목적), 땀(노력), 끼(재능)를 한창 발전시킬 때임을 잊지 말아야 합니다. 이 시기에 게으른 사람은 평생 게으를 확률이 무지 높습니다. 어릴 때, 젊을 때 나의 삶이 더 가치 있도록 꿈과 땀과 끼를 성장시키고 성숙시켜야 합니다. 개미 과든 베짱이 과든 둘 다 이렇게 할 수 있습니다. 행동 방식과 목표 분야가 다를 뿐이지요.

이렇게 10대와 20대를 충실히, 성실히 보냈다면 좋겠지만, 그렇지 않았다면서 적당한 시기를 놓쳤다고 땅을 치며 후회하는 것만큼 어리석은 일도 없습니다. 인생은 오늘이며, 내가 살아 있는 한 인생은 최선을 다해야 할 대상일 따름입니다. 꿈과 땀과 끼는 언제든 향상될 수 있습니다. 그리고 결실을 맺을 수 있습니다. 사실 꿈과 땀과 끼를 좇아 사는 그 과정 자체가 우리에게 축복 아닌가요. 그렇게 복된 하루하루가 곧 우리 생의 결실 아닌가요.

매우 늦게 이제 막 인생길을 제대로 걷고자 하는 저에게도 오늘 하루는 감사하고 또 감사한 축복입니다. 단, 오늘 내가 꿈을 좇아 땀을 흘리며 끼를 발산하고 있다면 말입니다. 나이가 몇이든 그건 상관없습니다. 그럼에도 더 젊을 때, 에너지가 더 넘칠 때 더 열정적으로 살기 위해 오늘을 더 부지런히 사용해야 한다는 점을 깨달아야 할 것입니다.

(히브리서 6:11) 우리가 간절히 원하는 것은 너희 각 사람이 동일한 부지런을 나타내어 끝까지 소망의 풍성함에 이르러

(히브리서 6:12) 게으르지 아니하고 믿음과 오래 참음으로 말미암아 약속들을 기업으로 받는 자들을 본받는 자 되게 하려는 것이니라

가장 치명적인 착각은 굳어 버린 관점이다.
삶은 성장이며, 또한 움직임이다.
움직임이 없는 관점에 사로잡힌 자는 성장할 수 없다.
- 브룩스 앳킨슨

3장.

어른의 생활, 어른의 습관

최소주의

문명 발달과 함께 우리 인생에서 점점 더 사라지는 것을 한 마디로 말하면 '여백'인 것 같습니다. 마치 시계를 빨리 돌린 것처럼 사람들의 일상은 정신없이 돌아가는 듯합니다. 정신 차리고 살아야 하는데 정신이 없다니, 참 아이러니하고 당황스러운 일이지요.

세상이 전반적으로 그렇게 정신없이 달리고 있는데, 한국 사회를 보면 더더욱, 더욱더 심각하게 그러고 있습니다. "워라밸, 워라밸" 하지만 일과 삶의 균형을 유지하기가 결코 쉽지 않은 곳이 한국 사회 아닌가요. 집값은 치솟았고, 사교육비는 늘어만 갑니다. 구조적으로 워라밸이 쉽지가 않습니다.

그나마 조금 남는 시간마저도 현대인은 또 그 아까운 시간을 정신없이 쓰기 위해 안간힘을 쓰는 듯 보입니다. 주말에는 여행을 가야 하고, 해외여행도 가끔 가 주어야 하며, 또 하루 중에 남는 시간은 스마트폰을 쳐다보거나 게임을 해야 합니다. 쇼핑도 자주 해야 합니다. 할 건 왜 이리 많고, 살 건 왜 그리 많은지.

이렇게 삶의 여백이 거의 없는 이 시대에 미니멀리즘(minimalism)만큼 격렬하게 추구해야 할 게 또 있을까요. 미니멀리즘은 우리말로 '최소주의'쯤으로 바꾸면 어떨지 싶습니다. 이것은 단순함과 간결함을 추구하는 것입니다. 그것도 최소한으로.

일본의 정리 대가들 중에는 아예 내게 필요한 옷은 몇 개, 그릇은 몇 개 식으로 딱 필요한 만큼만 구매해 놓는 사람이 있는가 하면, 오래된 물건이 내게 필요한지 그 물건을 앞에 두고 '이게 내게 기쁨을 주는가?'라고 생각해 보고 버릴지 말지를 결정하는 사람도 있습니다. 다들 미니멀리스트로서 자신만의 최소주의를 실현하는 것으로 보입니다.

이런 미니멀한 삶을 오히려 더 스트레스 받고 더 피곤해지는 삶이라고 단정하는 사람도 있을 텐데, 그것은 질서 있는 삶을 살아 보지 않아서 그럴 수 있습니다. 오히려 삶이 질서가 있으려면 여백이 꼭 있어야 합니다. 쓸데없는 물건들을 쌓아 두고 그걸 치울 시간에 몸과 맘을 쉴 수 있으니 여백만큼 중요한 게 어디 있을까요.

인간의 각종 욕구에 대해서도 마찬가지입니다. 세상은 뭐든 그 욕구를 더 채우려고만 하면서 매달리지만, 할 일을 해 놓고서는 낮잠도 자고 휴식도 취하고 공상도 하는 삶이야말로 우리에게 필요한 것이 아닌가 생각하게 됩니다.

다른 한편으로 자기계발 강박증에 걸린 사람들도 있는데, 공부나 운동을 쉼 없이 하는 사람들입니다. 의욕은 높이 살 만하지만 과식하면 체하듯이 자기계발도 여유를 가지고 장기적, 단계적으로 해야 하는 것 같습니다.

저는 미니멀리즘으로 물건을 팍 줄이고 살아 보지도 않았고, 자기계발 강박증에 걸려 끊임없이 공부나 운동을 해 본 적은 없지만, 뭔가 하지 않고 가만히 있는 걸 견디지 못하는 병은 갖고 있습니다. 아마 현대인 가운데 이 병에 걸린 사람이 엄청 많으리라 짐작합니다. 요새는 스마트폰이 주원인일 것입니다. 특별한 나의 특별한 삶을, 별것도 아닌 것들을 보느라 허비하는 건 정말 애석한 일입니다. 뉴스의 경우도 마찬가지일 것입니다. 뉴스야 아침에 주요 뉴스를 보는 것이면 족할 텐데 말이지요. 결국 습관일 뿐입니다. 가만히 있지 못해서 시간을 버리는 아이러니한 습관.

결국 정리도, 공부도, 운동도, 휴식도 잘하는 사람은 '미니멀리스트'일 것입니다. 그는 충분히 삶을 즐길 것입니다. 풍요로운 삶을 영위할 것입니다. 아깝게 버려지는 시간을 모으면 책도 읽고 대화도 나누고 공상도 하고 일기도 쓰고 그 밖에 많은 것들을 여유롭게 할 수 있습니다. 어리고 젊었을 때는 이런 시간이 아까운 줄 모르고 막 쓰지만, 중년의 나이에 접어들고 나면 그런 시간들이 금과 같은 시간임을 깨닫게 됩니다.

그러나 시간을 아깝지 않게 쓸 줄 아는 습관이 내게 없다면 아무리 쓸데없이 낭비하는 시간이 아깝게 여겨져도 그 시간들을 선용할 재간이 없습니다. 조금씩 저축하는 게 중요하듯이 조금씩 최소화하는 훈련을 평소에 해야 하는 이유입니다. 매주 엄청난 양의 재활용 거리들을 내놓는 우리는 최소주의를 각자의 마음에 장착해야 할 듯합니다. 딱 활용할 만큼 활용하는 방법을 익혀야 할 것입니다. 그러면 시계가 지금보다 천천히 가기 시작할 것입니다.

선함에의 몰입

인생은 집중해서 살아야 합니다.

집중(集中)

「1」 한곳을 중심으로 하여 모임. 또는 그렇게 모음.

「2」 한 가지 일에 모든 힘을 쏟아부음.

그런데 무엇에 집중할 것인가가 인생 관건입니다.

- 긍정에 집중할 것인가, 부정에 집중할 것인가?
- 선에 집중할 것인가, 악에 집중할 것인가?

이 선택이 인생을 성공과 실패로 가릅니다.

긍정은 무턱대고 고개를 끄덕이는 것이 아닙니다. 진리를 인정하는 것입니다. 옳음을 옳다고 수긍하는 것입니다.

그러므로 최선(最善)이란 진리에 수긍하는 긍정 에너지로 선에 최고로 집중하는 것일 터.

즉 '선함에의 몰입'일 것입니다.

오늘 나의 에너지를 어디에 집중할 것인가, 이것이 매일 내 삶의 과제입니다.

집중과 분산

아름다운 이 시간을 나는 이곳의 부정적 에너지에 집중하지
않아 내가 원하는 것들만 내 머릿속에 그리네

– 비와이(BewhY), 〈Forever〉

인생은 무엇에 집중하느냐에 따라 현격하게 달라집니다. 돌아보면 저는 많은 시간을 무엇무엇을 하지 않기 위해 고민했습니다. 차라리 그 시간에 내가 무엇무엇을 할까 숙고하고 실행에 옮겼더라면 저의 인생 스토리는 아주 많이 달라져 있을 것입니다. 저는 이것을 집중과 분산의 어마어마한 차이 때문이라고 봅니다.

비와이의 노래 〈Forever〉의 가사처럼 "내가 원하는 것들만 내 머릿속에 그리며" 살아간다는 것은 곧 긍정적인 에너지에 집중한다는 것입니다. 부정적 에너지에 집중하는 삶은 인생으로 따지고 보면 집중이 아닌 분산의 삶입니다. 몸과 맘을 흐트

러뜨리는 길입니다. 그러나 아마도 많은 사람들이 부정적인 생각, 부정적인 습관을 떨쳐내기 위해 인생을 살아갈 것입니다. 무엇무엇을 하지 않기 위해 사는 삶은 어찌 보면 상당히 소극적인 삶입니다. 목적의식의 수준이 낮고, 겁쟁이의 마음자세입니다.

다윗이 골리앗을 맞닥뜨려서 무엇을 했던가요? 오직 내가 할 바만 생각했습니다. 기도와 돌팔매질에 집중했습니다. 그 외엔 없었습니다.

질투, 비난, 불평, 방종, 태만, 탐욕, 폭력 등 부정적인 것들은 거론하고 말고 할 것도 없습니다. 그냥 그 자체가 부정적이고, 내 삶에 부정적인 영향을 엄청나게 미칩니다. 삶이 흐트러지고 맙니다. 결국 삶이 무너지고 맙니다.

우리가 집중하지 않는 까닭은 믿음이 부족해서일 것입니다. 내가 가는 이 길에 대한 믿음 말입니다.

또한 우리에게 절제가 부족해서일 것입니다. 자기 통제력 말입니다. 인간의 최대 약점이 이것이겠지요. 그러나 우리에게는 다윗의 교훈이 있습니다. 기도와 은사(恩賜: 하나님이 주신 재능)에 집중하는 것. 기도하며 주신 은사대로 나아가는 것.

사람은 청개구리 심리가 있어서 하지 말라고 하면 더 하려는 경향이 있습니다. 부정적인 것들을 없애기 위해서 살지 말아야 할 또 다른 큰 이유입니다. 아마도 이러한 청개구리 경향이야말로 부정적인 것들의 고유의 덫일 것입니다.

많은 현대인들이 삶을 살아가는 방식인데, 부정적인 것들을 잊어버리겠다는 심사로 목적의식 없이 바쁘게 사는 것은 결국 자신을 해치는 길입니다. 여러 가지 중독이 이에 해당합니다. 스마트폰, 수다, 여행, 게임, TV 등등.

집중을 하려면 제대로 집중해야 합니다. 그것만이 집중이라고 부를 만합니다. 특히 우리에게는 더욱더 삶의 초점을 뚜렷하게 한 곳에 집중시켜야 하는 때가 있습니다. 유혹과 고난의 때입니다. 힘들 때 초점이 쉬 흐려지지 않나요? 그렇게 시선이 분산되다가 아예 다른 곳을 보게 되지 않던가요? 그렇게 인간은 무너집니다.

인생은 집중력을 발휘해야 합니다. 그것이야말로 골리앗이 가장 두려워하는 것입니다. 부정적인 것에 대한 무관심.

오직 긍정적인 것에 대한 믿음과 사랑과 소망, 그로부터 나오는 열정과 인내가 우리에게는 필요합니다.

말의 힘

말에는 강력한 힘이 있습니다. 예외가 없습니다. 우리가 하루 중에 하는 수많은 말들 그 각각이 전부 다 강력한 힘을 갖고 있습니다. 강력한 힘을 지닌 그 말들은 모두 다 우리 삶에 실제적 영향을 미치지요.

그처럼 말은 영향력이 강하기 때문에 누구와 말하든 늘 말의 힘에 대해 알고 말을 해야 합니다.

한번 말을 잘못 내뱉기 시작하면 그 나쁜 말의 덫에 빠질 수 있습니다. 자신의 심사가 지금 뒤틀려 있으면 말을 삼가야 하는 이유입니다. 이처럼 말을 아껴야 할 때가 있습니다.

또한 당당하게 말을 해야 할 때가 있습니다. 말을 해야 상황이 풀리는 때가 있으니까요.

말에는 인생과 세상에 대한 나의 태도가 고스란히 담겨 있습니다. 말은 곧 내 삶입니다. 말이 곧 나 자신을 표현해 줍니다. 나는 말로 삽니다. 이것이 '말의 힘'입니다. 무슨 말을 하든 그 말의 이후를 숙고하여 신중하게 말해야 하는 까닭입니다.

애완동물을 키우기 전에

애완동물을 키워 보니까 애완동물을 키우는 것은 정말로, 정말로 쉽게 결정할 일이 아닙니다.

우선 동물들이 너무 답답합니다. 그런데 사람들은 의외로 이런 점을 별로 생각하지 않는 것 같습니다. 저 역시 그랬습니다.

강아지라면 집이 답답하고, 물고기나 거북이라면 어항이 답답합니다. 사람들이 동물을 돌봐 주고 동물에게서 따름을 받고 그러면서 자기도 위로받는 것은 애완동물을 키우는 데 있어서 장점이 될 수 있지만, 동물 입장에서도 과연 그게 좋을까 생각해 볼 필요가 있습니다.

예를 들어서 '바다에 살던 거북이가 사람 손에 이끌려 와 어항에 산다는 건 어떨까?' 이런 걸 생각해 보는 것이죠. 동물원과 관련해 인간의 폭력과 동물의 고통을 논의해 볼 수도 있을 것입니다.

어쩌면 인간은 실은 대부분은 자기만족을 위해 애완동물을 키우는 건지도 모릅니다. 물론 진심으로 애완동물을 아끼고 사랑해 주는 것은 이 땅에서 식물뿐 아니라 동물까지 대리자로서 관리를 맡은 인간에게는 필요한 일이고, 중요한 일입니다.

하지만 애완동물을 데려왔을 때는 그 애완동물의 처음부터 끝까지 반드시 책임을 져야 합니다. 이것은 정말로 간단한 일이 아닙니다. 단지 그 애완동물이 너무 귀엽다고 크게 고민하지 않고 데려올 일이 아닌 것이지요. 자칫하다가 사람이 자기 자신과 가족을 돌보고 신경 쓸 시간에 애완동물에게 시간과 에너지를 쓸 수도 있습니다. 생활과 관계가 흐트러지는 것입니다. 바람직하지 않습니다. 인간은 무슨 일이 있어도 자기 주변 사람과의 관계가 우선 아닐까요.

그러므로 애완동물을 키우는 결정만큼은 가족 간에 신중하게 고민하고 상의해야 합니다.

10퍼센트씩 줄이기

식당에 가면 웬만하면 밥과 반찬을 거의 남기지 않는 것을 미덕으로 삼고 살았었습니다. 국은 국물까지 다 먹으면 몸에 좋지 않으니 국물은 좀 남기더라도요.

사실 어려서 집에선 더 엄격한 식사 교육을 받았습니다. 엄밀히 말하자면 엄격하다기보다는 건강에 좋은 식습관을 교육받은 것이죠.

식사 도중에 물을 마시지 않고, 자기 밥은 남김없이 다 먹는 걸로 교육을 받고 자랐습니다. 덕분에 그 같은 식습관은 건강의 비결이 되었습니다.

30대까지는 60킬로 정도의 체중을 유지했으니 살이 쪄 본 적은 아예 없었던 건데요. 하지만 40대가 되고부터는 더 이상 그런 식습관이 유효하지 않았습니다.

특히 한국에서는 더 조심해야 합니다. 우리나라는 식당에서 음식을 후하게 주기로 유명한 나라죠. 그나마 나라에서 음식을 남기지 않도록 식문화를 바꾸자고 오랫동안 선도해 온 터라 음식 양이 예전보다 줄기는 했습니다.

하지만 여전히 상다리가 휘어지도록 인심을 쓰는 것이 좋은 식문화인 양 생각하는 경향이 남아 있습니다. 저렴한 가격에 음식은 푸짐하게 주어야지 갈 만한 식당이라고 여기는 한국인들의 생각도 한몫합니다. 값싼 뷔페식 식당을 홍보하는 이른 저녁의 방송들도 여전하지요.

실제로 식당에서 1인분을 먹어 보면 상당한 양임을 알 수 있습니다. 젊어서는 좀 과식을 해도 몸이 소화를 해냈지만 40대부터는 확연히 달라지더군요. 많이 먹은 만큼 몸에 부담이 되는 겁니다. 살로도 가고 피곤해지기도 하고요.

저는 80킬로까지 체중이 불면서 심각성을 깨달았습니다. 기존 몸의 3분의 1이 제 몸에 더 붙은 것이죠.

우선 기존의 식습관을 철회하기로 했습니다. 식당에 가면 음식을 남기는 것이 아깝기는 하지만 10퍼센트 정도는 덜 먹었습니다. 밥도 한두 숟갈 남기고, 반찬도 굳이 다 먹지 않았습니다. 이렇게 했더니 몸에 부담이 덜 가더군요. 밥을 먹어도 몸이 무거워지지 않는 것이었습니다.

못 먹고 살던 과거와 비교하면 요새는 과잉이 문제입니다. 뭐든지 과하게 먹는 것이죠. 몸에 좋은 것도 과하게 먹으면 탈이 나는 법인데요. 결국 자제를 해야 합니다.

노자는 "과욕보다 더 큰 불행은 없다. 탐욕보다 더 큰 재앙은 없다"고 말했습니다. 인간의 최고 미덕은 절제에 있지요.

과잉의 시대에 10퍼센트씩이라도 자제하는 건 분명 의미 있는 일이라는 생각입니다. 우리는 먹는 것이건, 보는 것이건, 일하는 것이건, 노는 것이건 대부분 과하게 합니다. 그러므로 의도적으로 10퍼센트씩이라도 줄여야 합니다.

특히 나이가 들면서 욕심이 많아지는 경향이 있는데, 오히려 그 반대가 되어야겠죠. 욕심과의 싸움에서 승리하는 것이야말로 인생의 가장 기본이자 최고 지혜일 것입니다.

시인 미뇬 매클로플린(Mignon McLaughlin)은 "우리는 모두가 용기와 믿음, 욕심을 타고나지만 대부분 욕심만 남게 된다"며 나이 들면서 욕심이 많아지는 인간의 경향을 역설했습니다. 우리는 인생을 살아갈수록 욕심과 더 강력하게 싸워 이겨야 하는 것이지요.

10퍼센트씩 줄여야 하는 것은 각자 조금씩 다를 것입니다. 사람에 따라서는 10퍼센트가 아니라 30퍼센트, 50퍼센트, 아니 그 이상을 줄여야 할 수도 있고요.

중요한 것은 나의 과잉행동에 대해 줄이겠다는 결단을 내리고 즉시 행동에 옮기는 것일 겁니다.

저희에게 이르시되 삼가 모든 탐심을 물리치라 사람의 생명이 그 소유의 넉넉한 데 있지 아니하니라 하시고

– 성경 누가복음 12장 15절

물건은 물건일 뿐

물건에 집착할 때가 있습니다. 소유하면 뭔가 기분이, 생활이 달라질 것 같지요.

그런데 곰곰이 생각해 보면 우리는 꼭 뭔가 마음이 공허할 때 물건에 집착합니다. 우리는 물건으로 공허한 마음을 채워 보려 하지만, 물건은 결코 우리의 마음을 채워 줄 수 없습니다.

아끼는 물건을 잃어버려서 찾아달라는 자녀에게 "물건은 물건일 뿐이야"라는 말을 가끔 해 주었습니다. 제가 살면서 물건에 대해 느낀 결론이 그거니까요. 물론 아이들에게는 이해하기 어려운 말이겠지만, 그래도 물건에 대한 그 결론을 알기 바라는 마음으로 그렇게 말해 준 겁니다.

그렇다고 제가 물건에 집착을 하지 않는 것도 아닙니다. 누구나 애착하게 되는 물건이 있지요. 그것은 연필일 수도 있고, 자동차일 수도 있습니다.

그러나 그게 무슨 물건이든 물건은 결코 마음을 채워 줄 수는 없습니다. "물건은 물건일 뿐"이니까요. 물건은 사람 마음을 헤아려 주지 못합니다. 열심히 일해 필요한 물건을 사서 더 효율적으로 사는 건 바람직합니다. 하지만 물건에 집착하여 마음을 거기에 빼앗긴다든지, 자신의 마음 관리를 스스로 못한 채 물건에 자신의 마음을 내맡기는 것은 어리석은 일이지요.

물건이 사람을 위해서 존재하는 것이지, 사람이 물건을 위해서 존재하는 것이 아니니까요. 그러므로 '주체적인 물건 사용자'가 되어야겠습니다.

섬김

겸손과 감사가 밖으로 나타나는 것을 한마디로 말하면 무엇일까요. '섬김'일 것입니다.

섬김이 생활이 되신 분들을 보면 절로 고개가 숙여집니다.
섬김에는 세 가지가 필요해 보입니다.

첫째, 섬세함.
둘째, 섬씽 스페셜,
셋째, 서머타임입니다.
(앞에 시작하는 자음을 맞춰 보았습니다.)

첫째, 섬세함.
누구를 섬기려면 투박해서는 곤란하겠지요. 그가 원하는 게 무엇인지, 필요로 하는 게 뭔지 섬세하게 파악해야 하니까요.

섬김의 행위 자체도 섬세함을 요합니다. 투박해서는 곤란합니다. 그렇다고 부담을 주어서는 안 됩니다. 섬기는 상대방에게 부담을 주지 않으려면 나부터가 섬길 때 어깨에 힘이 들어가면 안 됩니다. 나부터 부담을 빼야 한다는 소리입니다. 내가 섬세함을 넘어서서 과하게 상대를 대하면 그때부터 내가 남에게 부담스러워지는 것입니다. 그때부터 그건 섬김이 아닙니다. 그냥 부담입니다. 타인의 소원, 타인의 필요를 이해하려면 나 자신이 섬세하게 살아 보았어야 합니다. 감정을 잘 읽고, 행위의 면면을 볼 줄 알아야 하는 것입니다.

둘째, 섬씽 스페셜.

섬김은 상대를 특별하게 생각하고 특별하게 대우하기 때문에 하게 되는 것입니다. 그저 평범하게 생각하고 평범하게 대우하려고 하는 게 아닙니다. 상대방이 내게 특별한 존재라는 걸, 지금 그와 함께하는 이 상황이 특별한 상황이라는 걸 인식할 때 섬김이 자연스레 나옵니다. 물론 섬기는 나 자신 역시 특별합니다. 우리는 섬김을 주든 섬김을 받든 누구나 특별합니다. 서로 간의 관계가 특별함을 알고 섬기는 것과 그저 섬기니까 섬기는 것은 차원이 다를 것입니다.

셋째, 서머타임.

서머타임이 뭔가요. 여름철에 표준시보다 한 시간 시계를 앞당겨 놓는 것입니다. 부지런함을 상징하기 위해 이 단어를 썼습니다. 섬기는 사람은 기본적으로 부지런합니다. 일찍 일어나고 부지런히 움직입니다. 바삐 할 일을 찾아다닙니다. 섬길 거리가 무엇인지 파악이 빠를 수밖에 없습니다. 기부와 봉사를 열성적으로 하기로 유명한 가수 션이 텔레비전 토크쇼 프로그램에 나와서 아이들을 챙겨 주기 위해 네다섯 시간만 자고 새벽에 일어나 운동을 한다고 하는데, 그렇듯 섬김은 기본적으로 성실을 요합니다.

섬세함/섬씽 스페셜/서머타임, 이 세 가지가 상호작용하면서 섬김은 빛을 발합니다. 그런데 이 세 가지 태도보다 앞서 섬김을 위해 기본적으로 갖춰야 할 근본적인 마음가짐이 있습니다.

> (마태복음 6:1) 사람에게 보이려고 그들 앞에서 너희 의를 행치 않도록 주의하라 그렇지 아니하면 하늘에 계신 너희 아버지께 상을 얻지 못하느니라
>
> (마태복음 6:2) 그러므로 구제할 때에 외식하는 자가 사람에

게 영광을 얻으려고 회당과 거리에서 하는 것같이 너희 앞에 나팔을 불지 말라 진실로 너희에게 이르노니 저희는 자기 상을 이미 받았느니라

(마태복음 6:3) 너는 구제할 때에 오른손의 하는 것을 왼손이 모르게 하여

(마태복음 6:4) 네 구제함이 은밀하게 하라 은밀한 중에 보시는 너의 아버지가 갚으시리라

이것을 한마디로 '섬김의 숨김'이라고 할 수 있을 것입니다. 나를 드러내기 위해 섬기는 것은 진정으로 섬기는 것이 아닙니다. 상대방을 위한 행위이지만 그마저도 결국 나 자신을 위한 행위일 테니까요.

그렇습니다. 섬김은 숨김을 요합니다. 결국, 섬김의 근원은 겸손과 감사입니다. 나를 낮추고 상대를 높이며 감사함을 표현하면서 사랑을 발하는 것이 섬김입니다.

섬김의 '섬' 자도 말하기 힘든 사람이 섬김에 대해 정리한 것이 상당히 부끄럽습니다. 사실 섬긴다고 했던 그 아주 작은 일마저도 나의 상황을 먼저 감안했던 적도 꽤 있고, 나의 형편에

따라 우왕좌왕했던 적도 꽤 있으니 참으로 부끄럽고 죄송스럽습니다.

하지만, 그럼에도 섬김이 이렇다는 것을 깨닫고 조금씩 섬김을 잘하도록 생활해야겠습니다.

4장.

어른의 개선, 어른의 진보

돌아본 자 vs 고치는 자

인생은 반성(反省: 자신의 말이나 행동, 생각에 대하여 그 잘못이나 옳고 그름 따위를 스스로 돌이켜 생각함)의 연속입니다. 인간은 부족하고 연약한 존재이므로 반성하면서 살아가는 것은 당연한 일입니다. 그런데 여기서 본질은, 우리가 '반성한 대로 스스로를 고쳤느냐' 하는 것입니다.

'반성한 그 사항을 마음속과 머릿속에 새기고 반성한 그대로 행동으로 보여 주었느냐' 여부가 결국 그 사람의 인생을 말해 준다고 할 수 있겠지요. 반성한 것 중에 단번에 고치지 못한 것이 있었다 하더라도 거기서 그치지 않고 끈질기게 고치고자 했다면 반드시 그 사람의 삶에는 변화가 있었을 것입니다.

반성을 위해서 인간이 쓰는 시간을 생각하면 왜 그렇게 반성한 대로 고치며 살지 않는지 의아할 정도입니다. 이건 나 스스로도 참으로 안타까운 일이 아닐 수 없습니다. 저는 저 자신을 돌아보기는 많이 했지만, 스스로를 고치지 않은 게 너무나 많기 때문입니다.

40여 년을 살아오면서 반성하는 데만 쓴 시간이 어마어마하게 많다는 느낌을 지울 수가 없습니다. 밤낮 나 자신을 돌아본 그 시간들을 나는 기억하고 있습니다.

실패하고 실수하고 잘못하고 나서 내가 나 자신을 돌아보기는 했지만 그것들은 대부분 실질적인 변화를 가져오지 못한 반성이기 때문에 안타깝지만 허무하고 무익한 반성이라고 해야겠습니다. 그중에는 자기 합리화, 자기 정당화가 많이 섞여 있었을 것입니다. 아니면 그저 자책에 머문 경우도 있을 것입니다.

사람들은 반성을 위한 계기로 삼고자 많은 일을 시도합니다. 일기를 쓰고, 독서를 하고, 생각을 하고, 다짐을 합니다. 그러나 그렇게 반성하기 위해 몸부림쳤던 일들이 허무하고 무익하게 끝나 버린다면 이는 어찌 보면 너무나 황당하면서도 당황스러운 일 아닌가요. 잘되고 싶어서 하는 일인데 잘되게 하지 못하다니. 아마도 이것이 인간의 가장 연약하고 어리석은 면일 것입니다.

그럼에도 자기 자신을 사랑하는 만큼, 자기 인생을 소중히 여기는 만큼 자기반성이 효과를 발휘하지 않을까 싶습니다. 나와 내 삶을 사랑한다는 건 스스로 내 인생에 대해 책임감이 강하다고 볼 수 있으니 말이지요. 반성은 바로 그 같은 책임감을 요합니다. 책임감은 나의 맘과 몸을 움직이므로.

이제 허무하고 무익한 반성을 하느라 시간을 허비하는 일이 없기를 바랍니다. 책임 있는 자기반성만이 진정한 반성이며 또한 참으로 나를 변화시킬 것이기 때문에.

진정한 공부란

시간이 지나고 보니까 '공부는 개념의 문제'라는 것을 알게 되었습니다. 모든 지식, 모든 과목은 다 개념이 있습니다. 우리는 그 개념을 공부하는 것입니다. 책을 읽더라도 해당 주제의 핵심 개념에 네모 박스를 치고 그 의미에 밑줄을 그어 가면서 읽으면 개념 정립이 훨씬 잘됩니다. 이때 의문을 제기하고 질문을 던지는 과정이 필요한 경우도 있습니다.

물론 진정한 공부란 단지 개념을 이해한 데서 더 나아가 그 개념을 실제적으로 활용하느냐의 문제입니다. 공부란 이렇게 해야 재미가 있습니다. 그리고 궁극적으로 삶에 쓸모가 있습니다.

한국의 공교육과 사교육이 주입식과 암기와 입시 위주의 공부로 참 공부의 길을 방해한다면 결국 스스로 왜 공부를 하는지 치열하게 고민하여 깨닫고 진정 삶에 도움이 되는 공부를 해야 합니다.

감사하게도 공교육과 사교육이 제공해 주지 않는 것들을 많은 책들이 대신해 줍니다. 실용과 지혜를 중시하는 외국의 교육 서적을 참고하는 것도 좋습니다. 아무튼 다양한 양서를 통해 개념을 정립하고 개념을 연결하고 개념을 확장하는 공부를 해야 합니다. 책을 많이 보다 보면 양서란 무엇인지 조금씩 감이 잡힐 것입니다.

공부에는 때가 있다고 말하지만 이 말은 공부하는 데 적합한 때가 따로 있다기보다는 보다 더 열성적으로 공부를 해야 할 때가 있다는 의미로 받아들여야 할 것입니다.

여기서 공부란 시험을 보기 위한 공부가 결코 아닙니다. 공부는 그것이 자신의 삶에 제대로 반영되어야 의미가 있습니다. 그렇기 때문에 결국 언제나 부족할 수밖에 없는 인간은 평생 공부와 적용, 공부와 적용, 공부와 적용을 지속해야 합니다.

그리 길지 않은 인생이라는 시간 속에서 쓸데없는 공부에 시간을 허비하는 것은 참담하고 암담한 일입니다. 내가 공부를 왜 하는지, 반드시 그것을 알아야 합니다. 그리고 제대로 공부해야 합니다. 그래서 그 같은 참 공부가 나의 일상이 되어야 합니다.

몸이 아프기 전에

몸이 아프고 나서 다시 건강을 챙기려고 하면 그 수고가 얼마나 많이 드는지 이루 말할 수가 없습니다. 몸은 한 번 망가지면 회복하는 게 도통 쉽지가 않은 것이죠. 돈은 쓰기는 쉽지만 벌기는 어려운 것과 비슷하다고나 할까요. 빚을 지고 또 지게 되면 갚기가 여간 힘든 게 아닌 것처럼요. 사실 빚에 대한 이자만 내기도 버겁지요. 몸의 병도 빚과 같아서 병이 걸리고 나면 빚진 돈의 이자 내듯 현상 유지만 하기도 녹록지가 않습니다.

저는 아마 태어나서 처음으로 운동다운 운동을 하고 있는데요. 몇 년 전부터 유행이라고 하는 홈트레이닝이라면 홈트레이닝입니다. 물론 말이 홈트레이닝이지 그냥 덤벨 들고 고무밴드 당기고 푸시업 하고 윗몸일으키기 하는 아주 기본적인 수준의 운동입니다.

하지만 과거와 달리 정말로 몸에 변화가 오게 하기 위해서 숨이 차는 정도까지 운동을 하기도 합니다. 매번 그런 건 아니지만 가끔씩 그렇게 숨이 찰 만큼 할 때 몸이 정상화(正常化)되는 것을 느낍니다. 역으로 웬만큼 운동해서는 몸에 변화가 오기가 쉽지 않겠구나 느낍니다. 꾸준히, 끈질기게 해야 하죠.

저는 목디스크로 인한 통증으로 오랫동안 고생해 오고 있기 때문에 근육운동을 통해서 통증을 없애는 것을 목표로 하고 있습니다. 아직은 운동을 한 지 얼마 되지 않아서 여기저기 쑤시지만 통과의례라 여기며 계속하고 있습니다.

제 나이가 40대이고 주변에 40대와 이야기해 보면 40대쯤 되면 어디 하나 안 아픈 데가 없습니다. 나름대로 오래 쓰다 보니 몸이 고장 난 것이지요. 이걸 만회하려고 하면 시간과 에너지가 많이 필요합니다. 만약 젊어서부터 건강 관리에 신경 썼다면 시간과 에너지가 덜 들겠지요.

어디서 보았는데 40세까지는 부모님이 주신 체력으로 살고, 40세 이후로는 그 전에 자신이 만든 체력으로 산다고 하더군요. 맞는 말입니다.

좋은 체력을 타고났다 해도 40세가 넘어가면 더 이상 타고난 체력으로는 살아갈 수가 없습니다. 운동을 해야만 합니다. 그러나 40세 이전에 운동을 소홀히 했다고 후회할 필요는 없습니다. 제가 40대에 운동다운 운동을 처음으로 해 보니 사람 몸은 적응력이 뛰어나서 금방 운동 효과를 볼 수 있다는 것을 발견했습니다. 물론 운동을 하면서 식사와 휴식, 수면 관리를 잘해야겠지요.

다시 말하지만 중요한 건 '몸은 아프고 나면 돌이키기가 쉽지 않다'는 것입니다. 하지만 이미 몸이 아프다고 한탄만 할 일은 아닙니다. 그러면 아픈 몸으로 힘들게 살아가는 것밖에는 달리 선택의 여지가 없으니까요.

오히려 '질병을 계기로 새롭게 건강한 자신을 만들어 나가겠다' 생각하는 것이 좋습니다. 고기도 먹어 본 사람이 잘 먹는다고 운동도 해 본 사람이 더 잘합니다. 처음부터 무리하지 말고 조금씩 자신을 위한 운동을 정해서 하나씩 하나씩 해 나가다 보면 금세 변화된 자신을 마주하게 될 것입니다. 자신에게 알맞고 재미있는 운동을 찾아서 조금씩 해 봅시다.

꼰대와 나이

꼰대의 특징이 자주 거론되는 요즘입니다.

저는 특히 '나이'로 밀어붙이는 것이 꼰대의 주요 특징으로 보입니다. 서열을 중시하는 한국 문화에서 나이는 공감과 소통을 막는 장벽으로 작용할 때가 많습니다.

친하게 지내던 사람이 몇 살인지 알지 못하기도 하는 서구 사람들과 달리, 우리는 처음 보자마자 나이 순으로 그 모임의 서열을 싹 정리합니다.

비즈니스 파트너인데도 나이나 성(본관까지), 고향, 거주지, 학교 등을 굳이 물어보고 나와 관계된 것이 있나 살펴봐야 안심이 되는 것이 우리네 관계 문화입니다. 이게 별것 아닌 것 같아도 각자의 인격과 개성이 서로 만나야 하는데, 자꾸 이 벽 저 벽을 치는 꼴입니다. 지금부터 서로가 서로를 천천히, 충분히 알아가야 하는데도 같은 동네에 산다고 하면 벌써 친한 것처럼 느끼는 것도 알고 보면 말도 안 되는 어리석고 황당한 처

신입니다.

“내가 니 나이 때는…”이라는 말은 대표적인 꼰대의 말로 거론됩니다. 대개 상대방의 경험, 생각, 입장을 깊이 생각하지 않고 나의 판단만을 내세울 때가 많기 때문이지요. 이러면 공감이 되기 어렵습니다. 대개 이런 말은 교훈적으로 보이게끔 포장되지만 자기 자랑이나 타인 비하에 그치고 맙니다.

존댓말이 발달한 우리나라에서는 그래서 관계를 시작할 때 그냥 서로 존대하면서 차차 알아가도록 하는 것이 좋겠다고 생각합니다. 괜히 처음부터 서열을 매겼다가 불편한 관계가 되는 일을 우리는 많이들 겪어 보지 않았나요?

사람이 성장하려면 서로 공감하고 소통하는 일이 잦아야 하고 그 공감, 그 소통이 잘 유지되어야 하는데 한국은 어디를 가도 나이를 따지니 관계를 제대로 맺기가 쉽지가 않습니다.

네덜란드의 69세 남성이 자신의 나이를 20세 줄이기 위해 법원에 소송을 냈다고 합니다. 그는 고용 등에서 차별받는다며 자신의 생년월일을 1949년 3월 11일에서 1969년 3월 11일로 바꿔 달라고 소송을 냈습니다. 그는 건강 검진에서 생물학적 나이가 45세로 나왔다며 이를 근거로 자신의 나이를 49세로 낮춰 줄 것을 요구했습니다.

제 친구와 나이 이야기를 하다가 이 뉴스 이야기를 꺼냈더니 친구는 "할 일도 참 없는 사람이네"라고 대부분의 사람들이 보일 만한 반응을 보였지만, 저는 이 뉴스를 접하자마자 무릎을 탁 쳤습니다.

그래, 우리가 꼭 달력에 따라 나이를 먹어야 하나? 오히려 살아 보면 나이와 무관하게 '인격의 나이테'가 본질이라는 것을 느끼게 되는데요. 일터에서도 나이가 아니라 실력으로 평가받아야 하는 것이 마땅하고요. 더구나 100세 시대를 코앞에 두고 있는 지금, 우리는 나이에 대한 편견을 버려야 할 것입니다. 아니, 장수 시대여서가 아니라, 나이에 대한 우리의 기본적인 사고방식부터 고쳐야 합니다.

문득 궁금해집니다. 나의 정신 연령, 신체 연령은 몇 살일까? 아니, 또 다르게 생각이 됩니다. 몇 살인지가 그렇게 중요할까? 매해 그렇게 내가 나이를 먹는 걸 감지하면서 사는 게 나을까요, 아니면 내가 재능을 잘 발휘하고 있는지, 성숙해지고 있는지 살피면서 사는 게 나을까요?

나이는 실로 우리에게 큰 의미가 없습니다. 나이에 대한 편견으로 스스로, 그리고 서로 제한하는 것들이 많다는 것을 우리는 인식해야 합니다. 한국은 이에 대한 사회적 고민과 논의가 절실히 필요합니다.

나이에 대한 편견을 고수한 채 합리성과 공정성, 창의성과 유연성을 논할 수 있을까요? 그동안 나이에 대해 학습하고 경험한 고정관념을 날려 버리고 나이에 대한 창조적인 사고를 시작해 봅시다.

내가 내리는 결정이 나의 진정한 모습이다

"우리가 지닌 능력보다는 우리가 내리는 결정이 우리의 진정 한 모습을 더 많이 보여 준다."

– 〈해리포터〉(J.K. 롤링 지음) 중에서 호그와트 마법학교의 교장 알버스 덤블도어의 대사

우리는 다른 이들의 탐욕과 편법, 비리 등에 대해서는 비난의 칼날을 마구 휘두르지만, 정작 자신의 참모습은 잘 돌아보지 않습니다.

물론 우리에게는 늘 사회에 대한 비판의식이 필요하지만, 각각의 개인은 자신의 인생에 대한 비판의식을 반드시 먼저 견지해야 합니다. 타인이나 사회에 대한 비판 이전에 나 자신의 삶이 온전한지 돌아보아야 한다는 생각을 저 자신 역시 강하게 가지게 됩니다.

그런데 우리의 참모습은 〈해리포터〉에서 마법학교 교장 알

버스의 말처럼 우리가 내린 결정들이 여실히 드러내 보입니다. 우리는 부와 성공을 추구한다며 지식을 쌓고 재산을 모으는 데 골몰하면서도 '내가 오늘 똑바로 결정을 내리고 행동하고 있는가' 하는 것은 잘 돌아보지 않습니다.

물론 일상생활 자체가 정비되어 있지 않아서 그렇게 되는 측면도 큰 것이 작금의 현실입니다. 특히 스마트폰(이걸로 각종 콘텐츠를 보죠. 보는 건 사람마다 다르겠지만 유희와 쇼핑을 위한 콘텐츠가 대부분일 것입니다)처럼 우리로 하여금 일상에 집중하지 못하게 현혹하는 것들에 우리는 너무나 쉽게 넘어가 시간과 에너지를 내주고 있기 때문에 하루의 생활 그 면면에 대해 우리는 내가 무슨 결정을 내려야 하는가를 보다 더 공을 들여, 즉 시간과 에너지를 들여 숙고해야 합니다.

그 사람이 가진 능력이 그 사람의 진정한 모습을 말해 주지 않는다는 사실. 이러한 사실을 무엇이 보여 줍니까.

자기반성 없이 타인 비판만 늘어놓는 오만하고 불의한 개개인.
권력과 부와 명예를 거머쥔, 세상에서 말하는 이른바 능력자들의 불의가 판치는 사회.

한편으로 갖가지 정보와 뉴스와 매체와 콘텐츠가 난무하고 수많은 상품과 서비스가 욕망을 만들어 내고 정신을 혼란스럽게 하는 와중에 우리는 더더욱 결정장애를 심하게 앓게 될 것입니다.

필요한 호기심이 있고, 불필요한 호기심이 있습니다. 우리는 자기 자신에게 꼭 필요한 질문을 던져야 할 시간들을 아무 생각 없이 소비해 버리고(일말의 생산성 없이 전적으로 허비해 버리고) 있는 건 아닐까요.

오늘 나 자신의 일상을 돌아보면 우선 육체적, 정신적 게으름으로 좋은 결정을 내리지 않았습니다. 욕심과 교만으로 바른 결정을 하지 않았습니다.

여기서 중요한 것이 있습니다. 결정에 있어서 이것이야말로 사실 핵심적인 이야기가 될 것입니다. 바로 결정을 '하지 않은' 것이지, 결정을 못한 것이 결코 아니라는 사실입니다.

우리는 언제든 바른 결정을 할 수 있습니다. 능력이 없어서 결정을 제대로 못한다는 말을 할 수는 없지요. 나의 성격과 상황과 환경이 어떠하든 바로 그 시점에 바른 결정을 우리는 내릴 수 있고, 내려야 합니다.

'지금의 내가 이 시점에 가장 필요한 결정을 내리고 있는 걸까?'

이 생각을 꼭 붙잡고 공을 들여 결정을 내리며 살아야겠습니다. 그게 나의 참모습이니까요. 이런 참모습을 지닌 개개인이 모여 이룬 사회는 어떨까요? 이러한 사회를 이루어 나가는 것, 그것이 우리가 함께 해 나가야 할 일이겠지요. 그 무엇보다 우선 나 자신부터!

운동은 삶이다

이 책에 운동에 대한 이야기가 여러 차례 들어가네요. 그만큼 자신의 몸과 마음을 책임져야 하는 어른에게 운동은 필수입니다. 저는 운동과 거리가 먼 삶을 살았습니다. 몸이 아프기 시작한 30대에 운동의 필요성을 느꼈지만 게으름 탓에 거의 하지 않고 지냈지요. 30대의 저는 '근골격계' 관리를 잘 못해서 디스크로 오랫동안 고생했습니다.

몸이 좋지 않아 한참 동안을 헤맬 때 제가 사는 아파트 위층에 사시던 노부부 내외가 우리 부부에게 잘해 주어 서로 알고 지내게 되었는데, 그 할아버지를 그 당시 잠깐 다니던 헬스장에서 만났습니다. 이렇게 보니, 이 기구 저 기구 다니면서 아주 열심히 운동을 하고 계셨습니다. 그분은 몸이 무척 좋지 않아 오랫동안 고생하시다가 운동을 아예 삶의 일부분으로 만드셨다고 합니다. 그 노부부를 뵐 때면 내가 몸이 좋지 않다는 걸 신경 써 주시면서 "운동을 일처럼 해야 해"라는 말씀을 거의 잊지 않고 해 주셨습니다. 그 말씀을 들을 때마다 '정말 맞아. 정말 그래야지' 생각했는데 젊어서부터 운동과 친하게 지내지 않은 그 타성 때문에 헬스장도, 스트레칭도 잠시 동안만 하고 그만두게 되었습니다.

저는 결국 30대 중반에 목디스크 수술을 했습니다. 디스크가 신경을 거의 다 눌러서 한계치에 달한 상태였죠. 인공디스크 두 개를 넣는 수술이니 작은 수술이라고 할 수 없었습니다. 하지만 그 지경이 되기까지, 사느라(그렇다고 잘 산 것도 아닌데) 운동을 잘 하지 않고 지냈습니다. 그렇게 40대를 맞았습니다. 40대가 되고 나니 체력은 더 심하게 떨어져 금세 피로해졌습니다. 수술을 해서 급한 불은 껐지만 몸의 통증은 대부분 남아 있었습니다.

여기저기 이상 신호도 나타났습니다. 그래도 '사는 게 우선이지' 하면서 운동을 잘 하지 않았는데, 더는 이런 몸으로는 살 수 없겠다 싶었습니다. 그동안 '사느라 운동할 시간이 없다'라는 나의 무기력한 생각이 한낱 핑계일 뿐임을 저는 이미 진작부터 속으로는 알고 있었는데도 나 자신을 변화시키지 못했습니다.

'내 삶이 좀 정비되면 그때 운동을 시작해야지' 하는 생각은 정말로 어리석은 생각입니다. 몸이 받쳐 주지 않는데 삶이 정비될 리가 있나요. 운동을 해 보려고 관련 서적도 꽤 구매한 편인데 실행이 잘되지 않았습니다. 목적의식이 있어야 하고 동기부여가 계속되어야 가능한 일입니다.

운동에 관해 40대가 되어 제가 내린 결론은 이렇습니다.

단순하게 자기가 좋아하는 운동, 자신에게 좋은 운동을 할 것.

이것저것 다양하고 복잡하게 관심을 갖다 보면 집중이 안 됩니다. 그리고 대부분의 일이 그렇듯 내 몸에 익어야 더 재밌는 법이지요.

저는 농구나 탁구같이 손을 주로 사용하는 운동을 좋아하는데, 스포츠는 전적으로 개인 취향입니다. 자기가 좋으면 그만입니다. 물론 자기 몸 상태에 맞는 걸 하는 게 당연히 좋습니다. 그런 스포츠를 찾고 시도해야 합니다. 저는 목이 좋지 않아서 목을 많이 꺾어야 하는 농구는 이제는 만만치가 않습니다. 그래도 농구를 워낙 좋아하기 때문에 미니 농구대를 집에 설치해 두고 가끔 공을 던져 넣습니다.

나이가 들면서 몸이 굳고 근육도 줄어들고 살은 쪄 가는데 이를 막으려면 가벼운 스트레칭과 근육 운동을 수시로 하는 게 좋습니다. 아침에 일어날 때 기지개를 켜고, 잠들기 전에 간단한 요가 동작을 하면 좋습니다.

근육 운동은 꼭 헬스장에 가거나 아령이나 역기, 기타 기구를 사용해야만 하는 것은 아닙니다. 오히려 운동을 안 하던 사람이 잘못 하다가 몸을 다칠 수 있습니다. 그리고 오래 못합니다. 그냥 집에서 벽에 대고 푸시업을 해도 되고(저는 문틀 양쪽에 손을 대고 푸시업을 하는 걸 선호합니다. 무리하지 않으면서 적은 횟수로도 효과를 볼 수 있어서요.) TV를 보면서 양쪽 다리를 들어 올려 복근 운동을 하거나, 양치하면서 히프를 살짝 내려 10회 간단하게 스쾃 운동을 해도 좋습니다.

뭐든지 과하게 생각할 필요 없습니다. 꾸준한 게 최고입니다. 이때 나름대로 목표량을 정해 놓고 해야 합니다. 사람은 목표가 있어야 움직이지요. 그리고 목표 달성을 해야 뿌듯합니다. 저는 10회 단위로 합니다. 부담도 없고 2세트, 3세트, 4세트까지 가중치를 부여하는 것도 쉽습니다.

두말해 무엇 하나요. 운동은 즐겨야 합니다. 운동은 자기 자신을 사랑하는 훌륭한 방법이기 때문입니다. 건강과 매력을 유지할 수 있는 길이고요. 가능한 한 많이 걷고 많이 트레이닝(가벼운 스트레칭과 간단한 근육 운동도 전부 다 트레이닝입니다. 뭐든지 과하게 개념을 정립할 필요 없습니다) 합시다.

몸이 약해지고 나이가 들면 여기저기가 쑤시고 아픕니다. 통증이 만성화하는 것을 막아야 합니다. 몸이 아프면 마음도 약해집니다. 질병이 발생하지 않도록 조기에 예방해야 합니다. 당연한 말이지만 병원 신세는 지지 않는 게 좋으니까요. 병원은 우리 삶에 고마운 측면이 많지만, 병세에 상관없이 기본적으로 거쳐야 하는 절차도 많고 상업적인 경우도 아예 없지는 않아서 자칫하다가 일을 키울 수 있습니다. 그러므로 스스로 자기 몸을 파악하고 관리할 줄 알아야 합니다. 병원은 꼭 검진과 치료를 받아야 할 경우에만 가면 됩니다.

그런데 언제 병원에 가야 할지 알려면 자신의 몸과 친해져야 합니다. 친해진다는 말이 사실 좀 웃깁니다. 내 몸 아닌가요. 자기 몸을 아는 사람도 자기, 챙기는 사람도 자기뿐입니다. 스스로 자기 몸을 관리하는 길은 운동뿐입니다.

물을 많이 마시고, 몸에 좋은 것을 챙겨 먹고, 운동을 잘한다면 우리 몸은 건강하게 수명을 다할 수 있을 것입니다. 무엇보다 운동은 삶의 최고 활력소입니다. 에너지가 넘치게 사는 사람들은 대부분 운동 마니아입니다. 저는 아직도 갈 길이 멉니다. 여전히 제게는 많은 활력이 필요합니다. 저는 운동을 더 즐기고, 더 자주 해야 합니다. '운동은 삶'입니다.

운동은 짬짬이 하는 게 좋습니다. 또 재미가 있어야 합니다. 설거지를 하면서 스쾃을 할 수 있고, 러닝머신에서 걸으면서(시속 5킬로 이상부터 운동 효과가 있다고 하는데 이 정도면 제법 빨리 걷는 속도라고 보면 됩니다) 음악을 들을 수 있고, TV를 보면서 복근 운동을 할 수 있고, 컴퓨터로 일을 하면서도 중간중간 스트레칭을 병행할 수 있습니다.

운동만 하면 지겨울 때가 있습니다. 이때는 재미 요소를 덧붙이려고 스스로 연구와 시도를 해 보아야 합니다. 운동 자체에 가중치를 부여하면서 목표치를 늘려 가는 것도 재미입니다. 물론 탁구나 테니스, 배드민턴처럼 같이 웃고 함께 이야기하면서 재미있게 운동을 할 수도 있습니다.

바쁜 현대인의 생활 가운데서 즐겁게 운동할 수 있는 지혜가 우리에게는 필요합니다. 혼자 하는 운동과 같이 하는 운동을 적절하게 배합하는 게 좋습니다. 운동은 틈나는 대로 하는 삶의 일부이자, 그렇게 함으로써 재미와 활력을 주는 고마운 삶의 일부입니다.

이제부터 내 몸의 변화를 추구하고, 내 몸의 변화를 매일 살펴봅시다. 어디에 근육이 붙었는지, 체중은 달라졌는지, 몸은 유연해졌는지 체크하면서. 더 이상 바쁘다는 핑계를 대지 말고요. 멀리 갈 필요 없이 그냥 지금 있는 곳에서 내가 할 수 있는 것부터 하면 됩니다.

인생 버킷 리스트

살아갈수록 버킷 리스트가 줄어드는 사람이 있고, 늘어나는 사람이 있습니다. 전자는 대개 "인생 뭐 있어. 이렇게 살다 가는 거지" 하고, 후자는 "인생은 소중해. 특별하게 살아야지" 합니다.

살면서 하고 싶은 게 많은 사람이 사는 인생의 폭과 폼은 확실히 다르지 않을까요.

작금에 버킷 리스트 만드는 게 일종의 유행처럼 되었는데 저는 긍정적으로 봅니다. 버킷 리스트에 목록으로 올라간 게 작은 것이든 큰 것이든 그건 다 인생과 자신에 대한 기대와 소망이 크고 많다는 걸 의미하기 때문이지요.

나의 버킷 리스트에는 무엇무엇을 올릴까. 하나씩 써 봐야겠습니다. 추상적으로 머리로만 생각하는 것과 구체적으로 글로 쓰는 것은 다르니까요.

글을 쓴다는 것

저는 꼭 글을 쓰라고 권하고 싶습니다. 결론부터 말하면, 글에는 '살리는 힘'이 있기 때문입니다.

우선 사람이 펜을 들거나 키보드를 칠 때는 마음의 움직임이 있다는 것입니다. 나 자신을 살펴보고, 내 마음과 생각, 행동을 마음으로 들여다보려는 것입니다.

물론 여기서 저는 당연히 형식적인 글쓰기가 아닌 진심 어린 글쓰기를 말하는 것입니다.

글쓰기란 대단한 게 아닙니다. 우리가 말하는 걸 글로 옮기는 것입니다.

그런데 말하기보다 글쓰기가 훨씬 더 좋은 까닭은, 말은 생각할 시간이 별로 없지만(또 말이 생각을 앞설 때도 많지요), 글은 생각한 시간이 많다는 것입니다. 더구나 마음과 생각을 고치거나 넓히거나 깊게 하거나 할 여지가 많습니다. 다른 사람에게 보여 주기 전에 자기 확인을 충분히 거칠 수 있습니다.

말은 한 번 내뱉으면 그만이지만, 글은 퇴고를 하면서 그 정확성과 깊이를 더해 갑니다. 그러면서 논리와 감성을 키울 수 있습니다. 말이 사람을 성숙하게 하기보다는 글이 사람을 성숙하게 한다고 보아야 할 것입니다. 말하는 시간은 줄이고 글 쓰는 시간은 늘리는 게 그래서 좋습니다.

마음이 답답하고 부끄럽기도 하고 아무튼 여러 가지로 마음이 복잡하고 힘들 때 그것에 대해 글을 쓰면서 마음 정리를 하다 보면 전혀 생각지도 못했던 심경의 변화, 생각의 발전을 경험하게 될 때가 있습니다. 그때 '아, 정말로 글은 치유의 효과, 성장의 효과가 있구나' 하고 느낍니다.

최근에 게으르고 일관되지 못해서 진보하지 못하는 나의 생활에 대해 생각하면서 글을 써 내려갔는데 글을 쓰는 그 과정이 곧 치유와 성장의 과정임을 다시금 절감하게 되었습니다.

글을 마칠 즈음에는 마음 정리가 되면서 나 자신이 추슬러지는 느낌을 받았습니다. 복잡한 생각이 명쾌하게 정리된 덕분입니다.

글은 생각의 전개 과정을 고스란히 담아냅니다. 단지 글을 쓰기 위한 글쓰기를 한 글을 보면 역시나 억지로 쓰는 글은 생각 전개가 제대로 이루어질 리가 없음을 확인하게 됩니다.

진심으로 생각한 흔적을 글은 반드시 보여 줍니다. 내 생각의 도입부터 내 생각의 결론까지 모든 글은 글쓴이의 그 생각의 발자취 하나하나를 처음부터 끝까지 여실히 보여 줍니다. 그렇게 종이 위 또는 모니터 위를, 생각을 글로 옮겨 가며 차분하게 걸어가면서 우리는 조금씩 성장합니다.

글을 쓸 때 사고가 넓어지고 깊어진다는 사실. 이것이야말로 글쓰기의 가장 큰 매력입니다. 글을 쓰다 보면 표현력과 소통력 또한 늘어납니다. 글쓰기가 나 자신과의 대화인데 그렇게 대화를 하면서 나를 알아가고 또 사람의 마음을 알아갈 수 있기 때문입니다. (나는 사람이고, 남도 사람이며 사람의 고민은 대부분 비슷합니다.) 자기 성찰뿐 아니라 관계 개선에도 도움이 되는 것입니다.

무엇보다 글쓰기는 인간의 부족함을 발견하고 성장 포인트를 찾아내는 데 있어서는 그야말로 최고, 최선의 작업입니다. 글을 쓴다는 것은 그래서 인간에게 축복입니다. 생각할 수 있다는 것, 그것이야말로 인생의 축복 아닌가요.

매일 조금씩이라도 글을 쓰면서 자신의 생활에 대해 생각해 보는 시간을 가집시다.

일기가 가장 좋습니다. 요새는 다양한 디지털 기기들 덕분에 거기에 녹음도 하고 메모도 할 수 있습니다. 생각이 날 때마다 실시간으로 그렇게 할 수 있습니다. 그렇게 녹음과 메모를 해

두었다가 나중에 그것을 글로 써 나가면서 생각을 확장하고 구체화할 수 있습니다.

말과 생각은 다듬기가 쉽지 않습니다. 두서가 없어서 갈피를 잡기가 쉽지 않습니다. 이 말 저 말, 이 생각 저 생각을 하게 되기 때문입니다. 한마디로 복잡하지요.

그러나 글은 다릅니다. 글쓰기는 나의 이성과 감성, 지성을 사용해 나의 생각을 절차탁마하는 일입니다. 절차탁마(切磋琢磨)는 '칼로 다듬고 줄로 쓸며 망치로 쪼고 숫돌로 간다'는 뜻으로, 학문을 닦고 덕행을 수양하는 것을 비유하는데, 저는 절차탁마가 글쓰기의 특성을 아주 잘 표현해 준다고 생각합니다.

생각을 절차탁마한다는 것은 곧 자기를 절차탁마한다는 것이지요. 그러므로 글은 생각의 조각이자 자신의 조각인 것입니다. 그렇습니다. 작가란 스스로를 조각하는 조각가입니다. (글을 쓰는 사람은 모두 작가입니다. 그러므로 글을 쓸 수 있는 사람은 누구나 작가가 될 수 있습니다. 글을 쓸 때는 작가라는 사명감으로 진정성 있게 글을 써야 합니다. 단 한 줄을 쓰더라도. 그렇지 않다면 펜을 내려놓는 게 맞습니다. 그래야 글로 나 또는 다른 사람들의 시간과 에너지를 빼앗지 않을 것입니다. 진정성은 없고 위선과 허세와 가식이 들어간 글은 해롭다는 것 또한 명심해야 할 것입니다.)

인생은 결국 생각에 달려 있지 않나요. 생각이 정교해지고 성숙해지는 계기를 만드는 위대한 작업, 그것이 글쓰기입니다. 그렇게 글을 쓰면서 성장한 작가의 선한 영향력이 글을 통해, 책을 통해 독자들을 만날 때 글이 주는 그 유익함이 세상에 전달되는 것입니다. 그 글, 그 책을 보고 영향을 받은 사람들이 또 글을 쓰고 책을 냅니다. 그렇게 우리는 서로가 서로를 돕습니다. 그래서 나는 오늘도 글을 씁니다. 글에는 사람을 살리는 힘이 있기에. 나 자신과 이 세상을.

어깨 힘 빼고

고수는 어깨에 힘 빼고 일합니다. 아니, 생활 자체가 그렇습니다. 저는 아직 이렇게 되려면 한참 멀었지만 가끔 어깨에 힘이 조금 빠져 있을 때 오히려 일이 잘 풀린다는 것을 실감합니다.

어깨에 힘 빼면 업무도 관계도 다 잘 풀립니다. 잘해 보겠다고 어깨에 힘 팍 주고 있으면 도리어 일이 버겁고 힘듭니다.

어깨에 힘이 들어가지 않는다는 것은 어찌 보면 여유와 자신감의 표현일 것입니다. 유능한 운동선수들을 보면 알 수 있습니다. 승리를 위한 도전적인 긴장감을 유지하는 대신, 어깨에 힘은 쫙 뺀 채 그들은 호기롭게 경기에 임합니다.

물론 어깨에 힘을 빼기까지 우리는 어깨에 힘을 빼는 훈련을 해야 합니다. 그것은 내가 하고자 하는 일 자체에 대한 연습뿐만 아니라 평소 육체와 정신의 단련까지 포함할 것입니다. 중요한 것은 우리가 이러한 훈련, 연습, 단련을 할 때조차도 어깨에 힘을 빼야 한다는 것을 잊지 말아야 한다는 점입니다.

세상은 우리로 하여금 과도하게 어깨에 힘을 주고 다니게끔 자꾸만 유도하지만 여기에 넘어가선 안 됩니다. 어깨에 힘 줄 때 그것은 교만이거나 허영일 수 있으니까요. 내 인생뿐 아니라 이 세상에 진정한 힘이 실릴 때는 오직 나와 우리의 어깨에 힘이 빠져 있을 때뿐입니다.

내가 상대방을 편하게 대하면 상대방도 이내 마음이 누그러지듯이 나의 온유한 마음 씀씀이와 일거수일투족이 세상에 평화와 능력을 가져올 수 있습니다. 이것이 우리가 어깨에 힘을 빼야 하는 결정적 이유입니다.

에필로그

어른으로 이끄는 마음과 생각, 그리고 행동

어른다운 마음과 생각, 그리고 행동. 어른이 마땅히 가져야 할 마음과 생각, 그리고 행동.

이 책을 쓸 때에 이런 생각을 해 보았습니다.

'어른이라면 이렇게 마음먹고, 이렇게 생각하고, 이렇게 행동해야 하지 않을까.'

왜 '마음과 생각, 그리고 행동'일까요. 사람의 행동 이면에는 그 사람의 생각, 그리고 그 이전에 마음이 전제되어 있지요. 그래서 행동이 변화하려면 마음과 생각의 변화가 먼저 있어야 합니다. 이것은 나에 대해서건 남에 대해서건 행동만 보고 판단해서는 안 되는 이유이기도 합니다. 그 이면의 생각을 보아야 합니다. 그리고 생각의 근원에는 그 중요한 마음이 있습니다. 우리가 늘 자신의 마음을 잘 다스려야 하는 이유입니다.

네 보물 있는 그곳에는 네 마음도 있느니라

- 성경 마태복음 6장 21절

어른의 사전적 정의는 이렇습니다.

어른

다 자란 사람. 또는 다 자라서 자기 일에 책임을 질 수 있는 사람.

사실 다 자랐다는 말에는 수긍하기 어렵습니다. 인간은 턱없이 부족해서 이생 끝날까지 자라고 또 자라야 하니까요. 단, '자기 일에 책임을 질 수 있는 사람'은 맞습니다. 이게 어른이죠. 매일, 매번 책임을 잘 질 수는 없겠지만 자신의 맡은 바 책임을 다하기 위해 최선을 다하는 삶이 어른의 삶일 것입니다. 이걸 위해 우리는 마음과 생각, 행동을 바꾸어야 합니다. '어른의 마음, 어른의 생각, 어른의 행동'으로.

이제, 우리의 일상 가운데서 이러한 어른다운 실제적 변화가 있기를 소망합니다.

우리의 성장은 경험을 얼마나 많이 접하느냐가 아니라,
그 경험을 얼마나 많이 되새기는가에 달려 있다.
– 랄프 W. 소크만

내가 생각하는 어른다움은?

어른다운 나의 모습 적어 보기

어른이라 말할 수 있도록

어른으로 이끄는 마음과 생각, 그리고 행동

초판 1쇄 발행 | 2024년 5월 28일
지은이 | 정민규(루카스 제이 Lukas Christian Jay)
발행인 | 정민규
편 집 | 정민규
디자인 | 담아
발행처 | 또또규리
출판등록 | 2020년 7월 1일 (제409-2020-000031호)
이메일 | aiminlove@naver.com
유튜브 | @ttottokyuri
인스타 | @ttottokyuri
홈페이지 | https://blog.naver.com/ttottokyuri
ISBN | 979-11-92589-72-5 (03810)

또또규리 출판사의 도서목록

수필

인생과 운전
인생을 운전하는 우리를 위하여
정민규(루카스 제이) 지음 | 값 17,000원

우리가 살면서 가장 크게 영향을 끼치는 일, 운전. 그 중요한 운전을 인생과 함께 통찰한 최
의 에세이. 개인의 반성에서 시작해 사회의 변화를 도모하는 사회적 에세이. 우리 모두의
전과 성숙을 위하여 운전대를 잡는 자신과 가족, 이웃에게 이 책을 선물해 주세요.

네 나이에 알았더라면 인생이 달라졌을 거야
사랑하는 자녀에게 꼭 전해 주고 싶은 부모의 인생편지
정민규(루카스 제이) 지음 | 값 10,000원

부모의 삶은 자녀에게 교훈으로 전수되어야 합니다. 부모의 시행착오가 자녀에게 약이 되도
말이지요. 이 책은 인생을 살아갈 때 꼭 필요한 마음자세, 생활습관 등에 대한 부모의 인생편
24통을 모은 것입니다. 이 안에 부모의 인생경험, 인생공부가 압축되어 있습니다. 이 시대에,
히 한국 사회에서 갖추어야 할 삶의 지혜를 담았습니다.

사는 게 낯설 때

아이러니를 알고 삶에 대응하기

정민규(루카스 제이) 지음 | 값 15,000원

사는 게 낯설 때가 옵니다. 방향을 전환해야 할 때입니다. 이때 삶과 사람을 아이러니의 관점으로 볼 줄 알아야 합니다. 아이러니를 알고 삶에 대응하는 것입니다. <사는 게 낯설 때>에서는 순간순간 삶에서 아이러니로 다가온 현상들을 살펴봅니다. 현상을 다른 시선으로 바라볼 때 변화를 모색해 볼 수 있습니다.

만나야 할 말들

나를 키우는 인생문장

정민규(루카스 제이) 지음 | 값 10,000원

우리가 인생을 살아갈 때에 '만나야 할 말들'이 있습니다. '나를 키우는 인생문장'들이지요. 살면서 잘 생각해 보지 못한 것들, 미처 깨닫지 못했던 것들을 우리는 이러한 힘 있는 말들을 통해서 생각해 보고 깨닫게 됩니다. 이러한 능력의 문장들은 보는 즉시 반가워하며 기꺼이 인생의 지혜로 삼을 수밖에 없는 매력을 지니고 있습니다. 여기, 제가 지금껏 만난 명문장들 중에서도 특히 더 빛을 발하는 명문들을 모아 보았습니다. 그리고 마치 그 명문들과 교제하듯 저의 생각과 느낌을 함께 담아 보았습니다.

인문

글 쓰는 마음

글 쓰기 전에 마음부터 준비하기

정민규(루카스 제이) 지음 | 값 10,000원

좋은 글이란 '좋은 마음을 나누는 글'일 것입니다. 강건한 삶을 살고 강건한 글을 쓴다면, 담대한 삶을 살고 담대한 글을 쓴다면, 유머 있는 삶을 살고 유머 있는 글을 쓴다면, 그렇게 쓰인 그 글들은 글쓴이의 마음에 들 것입니다. 독자들의 마음에 드는 일은 말할 것도 없겠지요. 그리고 이것은 글쓰기를 위한 마음 준비가 된 사람만이 누릴 수 있는 기쁨과 보람일 것입니다. 작은 이 책을 통해 그 큰 기쁨과 보람을 만나 보시길 바랍니다.

신앙

복 있는 부모는

자녀 교육은 부모의 크기만큼

정민규(루카스 제이) 지음 | 값 12,000원

부모가 자녀에게 끼칠 수 있는 영향력은 실로 대단합니다. 물론 이때 중요한 것은 자녀를 나의 자녀이기 이전에 하나님의 자녀로서 보는 것이고, 또한 독립체로서 보는 것입니다. 그때 우리의 마음 자세가 본질적으로 달라질 것입니다. 이 책에는 부모가 자녀 사랑과 양육을 잘해 보고자 할 때에 우리가 특히 고민하고 숙고해 보아야 할 것들을 담았습니다. 모든 일에서 하나님 믿는 그 믿음 안에서 행함이 있는 부모가 되기를 소망합니다.